Passionnée par les mondes autochtones et le dialogue interculturel, Corine Sombrun s'installe à Londres en 1999 où elle travaille pour BBC World Service. Ses reportages la conduisent sur les pas des traditions chamaniques en Amazonie, puis en Mongolie où, en 2001, elle est elle-même reconnue comme chamane. Formée pendant plusieurs années aux rituels et techniques de transe, elle collabore depuis 2006 avec des chercheurs. Elle retrace ses aventures dans *Journal d'une apprentie chamane*, puis *Mon initiation chez les chamanes : une Parisienne en Mongolie*, *Les Tribulations d'une chamane à Paris*, *Les Esprits de la steppe : Avec les derniers chamanes de Mongolie* et *Sur les pas de Geronimo*, né de sa rencontre avec Harlyn Geronimo.
Son dernier livre, *Sauver la planète, le message d'un chef indien d'Amazonie*, vient d'être récompensé aux États-Unis par le Independant Publisher Book Award for Environment/Ecology.
Corine Sombrun vit désormais à Paris, où elle a contribué à la création du TranceScience Research Institute, un réseau international de chercheurs investis dans l'étude neuroscientifique des états de transe.

Retrouvez toute l'actualité de l'auteur sur :
www.corinesombrun.com

JOURNAL D'UNE APPRENTIE CHAMANE

DU MÊME AUTEUR
CHEZ POCKET

JOURNAL D'UNE APPRENTIE CHAMANE

MON INITIATION CHEZ LES CHAMANES

LES TRIBULATIONS D'UNE CHAMANE À PARIS

SUR LES PAS DE GERONIMO
(en collaboration avec Harlyn Geronimo)

LES ESPRITS DE LA STEPPE

CORINE SOMBRUN

JOURNAL D'UNE APPRENTIE CHAMANE

ALBIN MICHEL

Avertissement de l'auteur

Effets secondaires !
L'expérience relatée dans ce livre n'engage que moi. Elle n'est en aucun cas une incitation à la consommation d'ayahuasca.
Je dégage donc toute responsabilité quant à la pratique irréfléchie de cet apprentissage et me désolidarise formellement de toute dérive sectaire.

C.S.

Pocket, une marque d'Univers Poche, est un éditeur qui s'engage pour la préservation de son environnement et qui utilise du papier fabriqué à partir de bois provenant de forêts gérées de manière responsable.

ISBN 978-2-266-12950-3

À Poupa,
à la lettre M.

Le jour où tu m'as quittée j'étais française. Et compositeur. Alors j'ai pris le train. Sous la mer. Pour engloutir mes rêves. Pour digérer tes cendres. Je suis devenue anglaise. Et compositeur. C'était bien. Et puis c'est là-bas que ça allait arriver. Un soir de pluie. À Londres.

Je me souviens très bien de tous les « hasards » qui m'avaient poussée vers cette soirée. Comme vers un rendez-vous auquel je n'osais même pas penser tellement il faisait mal, mais dont l'espoir donnait à ma vie la forme de cet entonnoir dans lequel je me laissais glisser pour ne pas y échapper. Te retrouver. Où que tu sois.

Ce soir-là, sur Londres, il pleuvait des œuvres. La saison artistique venait de commencer...

Londres, 4 novembre

Extérieur : Nuit.
Intérieur (de moi) : Nuit aussi, 182 jours après ta mort.

Je suis invitée. À une exposition de peintures d'Amazonie. Encore une, où exposer ma carte de visite et beaucoup de mal en ce moment à pénétrer les méandres spatio-egoïques des artistes.

Pas envie d'y aller. Il pleut des cordes. À la saison des œuvres. L'air sent la poussière, il est froid, glacé même. Autant de raisons de ne pas exposer mon corps meurtri à ce monde sans compassion.

Ça sonne. Merde. Je suis encore habillée en cocon. Pas prête. Sauf à composer. Un tube. Dommage. Je sentais l'inspiration me griser les neurones. Ouiiii, ça va, j'arrive. Toujours trop long quand on est du mauvais côté de la porte.

C'est Claudia qui vient me chercher. M'arracher serait plus juste. Bon. J'enfile une robe noire en laine, collants en laine, gants en laine, bonnet en laine, écharpe en laine. Une vraie pelote. Noire. Suffirait de tirer sur un fil pour que... Je ne m'habituerai jamais au froid mouillé.

Claudia râle et moi aussi. Voilà. Sortie du nid. Ça fait un choc glacé. Transport qui roule. Un gros taxi noir anglais. Une vraie cabine immense. Les portes se bloquent automatiquement dès qu'il s'arrête. Une vitre sépare le chauffeur de notre habitacle de bêtes dangereuses peut-être. Il faut actionner un interrupteur pour lui parler. Ça s'allume rouge. J'aime bien.

Quand je pense que j'étais prête, que je sentais la musique de ce tube envahir violemment mon ventre. C'est toujours ça le signe. Envie d'ouvrir ce ventre. Suis fauchée en plus. Bien fait. Fallait pas tout laisser tomber. Fallait pas fuir. Un tube. Je me fais rire. Comment je pourrais composer un tube ? Ma chandelle est morte. Y a plus rien qui sort. Sauf la musique des mots que je n'ai pas eu le temps de te dire et qui fout des courbatures à mes pensées.

Arrivée. October Gallery. Here we are ! Fait hyper-chaud là-dedans. Je vais mourir, habillée en pelote. Bon. Salut imperceptible à tous ceux que je connais. On me présente un Français qui semble bien connaître les peintres. Sympa. S'appelle Philippe. Tour des peintures avec lui. Elles sont de Pablo Amaringo et Francisco Montes Shuna. Pas mal. Ça me mettrait presque de meilleure humeur. Paraît qu'ils ont peint ces peintures d'après des visions qu'ils ont eues. À cause d'une drogue. Une sorte de plante hallucinogène appelée *ayahuasca*. Jamais entendu parler. Je suis vierge au niveau drogue. Je tiens trop à moi pour risquer ça. En tout cas c'était vrai jusqu'à ta mort. Aujourd'hui c'est différent. Moins peur de la mort. Moins peur tout court. Bizarre.

Un type me regarde. Va pas m'emmerder celui-là. Suis pas d'humeur ce soir. Tu veux mon e-photo ? Super-belle cette peinture. Une espèce d'arbre avec des feuilles très vertes, les racines partent d'un corps enterré, je pense à toi. Mais toi t'es en cendres. Un serpent est dessiné sur le sol. J'ai peur des serpents. Celui-là a l'air spécial. Protecteur ? Sais pas. Très roots. Des traits simples avec des couleurs, genre pigments naturels, vert, brun, noir, ocre, jaune. J'adore.

Putain il arrive sur moi. En plus il a une petite moustache. Qu'est-ce qu'il me veut ? Pas enviiiiie. Quart de tour rapide vers mon compatriote. Qui accueille le type avec un grand sourire ! « Corine, je voulais te présenter... » Il est interrompu. Une personne lui parle. Toujours comme ça dans ce genre d'expo. Les gens sont d'un sans-gêne. Le type reste là. Il me fait un signe de tête en guise de bonjour. Je lui réponds du bout du fil de ma pelote, occupée genre j'étudie la peinture. J'adore cette peinture. Vraiment. Très puissant. Ici on dirait *terrific*. Il est toujours à côté de moi. Type indien. Fait pas de bruit. Sage. Impression que des mots cherchent la sortie. Et voilà ça sort : « Il y a quelque chose de triste en vous... »

Alors là c'est la première fois qu'on m'aborde comme ça. Mais comment il sait ? Le connais même pas ce type. Remarque, c'est vrai que ça se voit sur mon visage. Claudia m'a dit qu'il suffisait de regarder ma gueule pour avoir envie de se suicider. J'adore mes copines. Toujours le mot qui tranche l'ego. On dirait que cet homme a été contaminé. Commence à m'intéresser. Bon. Je vais décider d'être moins occupée. Je parle. « Pourquoi vous dites ça ? » La réponse tombe : « Les plantes d'Amazonie peuvent vous aider à trouver la réponse. » Comprends rien. Il m'énerve à me faire le Sphinx, celui-là. Il s'en va ! Il me plante, là, débordante de questions.

Pour une fois ce qui me sert de cerveau tente un excès de vitesse. Mais c'est qui ce type ?

Philippe, toujours en train de discuter avec les sans-gêne, finit par me dire que c'est Francisco Montes Shuna, le peintre dont j'admirais la peinture ! Ça alors. Remarque, il avait un regard très doux. Un peu comme une vache. J'adore le regard des vaches. Surtout les normandes. Ça m'apaise. Philippe m'apprend que Francisco vit en Amazonie, au Pérou, et qu'en plus de son activité de peintre il est un spécialiste des plantes de la jungle amazonienne. Il a fondé en 1990 la Sachamama Ethno-Botanical Garden, une sorte de « réserve » botanique dans laquelle mille deux cents espèces d'arbres et de plantes sont répertoriées et étudiées par des ethnobotanistes, pour en faire les médicaments de demain. Je savais bien qu'il avait l'air sympa.

Faut que je le retrouve. Faut que je sache. Je ne sais pas pourquoi mais je suis certaine qu'il peut m'aider. Ou bien je vais droit dans une galère...

Ah, le voilà. Il me regarde en souriant ! Je me sens idiote d'avoir besoin de lui après l'accueil que je lui ai fait. Bon. Il sourit toujours. Pas une once de victoire dans son regard. J'aime mieux ça.

Qu'est-ce que je vais lui dire maintenant ? Intro classique : « J'adooore vos peintures ! » Il semble content. Mais sans plus. Présentation. Corine-Francisco-Enchanté.

Il me dit que je pourrais recevoir l'enseignement des plantes d'Amazonie, que j'ai un son à découvrir, mon propre son, un truc vibratoire que je dois chanter... Pouvez éclaircir ? Il sourit. Il ne peut pas tout m'expliquer, mais en quelque sorte chaque individu aurait son propre *son*. Ce son serait comme une « clef » vibratoire, qui permettrait de rééquilibrer les énergies de chacun, de restituer une certaine harmonie intérieure. Là il commence vraiment à m'intéresser. Je sens ma troisième oreille de compositeur se dresser pour applaudir. Silence. J'écoute.

Francisco pense que, pour une raison qu'il ignore, j'aurais « perdu » cette harmonie intérieure. Pour essayer de la retrouver, il faudrait que j'aille en Amazonie, et que je boive la substance de certaines plantes dont le rôle serait de m'aider à redécouvrir et à chanter ce son. Silence. Je pense. Il y aurait donc un son primordial, une note unique, propre à chacun, qu'il suffirait de chanter pour rééquilibrer ses énergies ? Oui ! est la réponse de Francisco. Sauf qu'il n'y a pas qu'une note. Ce son est en général la somme de plusieurs notes. Un peu comme une « mélodie » unique.

Je ne comprends pas exactement tout, mais mon oreille fait des pirouettes. Ça y est. Je suis de bonne humeur. Oui. Comme chaque fois que le son m'appelle. Comme chaque fois qu'il émeut mes tripes au point de me faire sortir de l'instant. Je réalise soudain que c'est là que tu te trouves. Que seul le son peut me guérir. Et m'amener à toi...

Parce que ça a fait un truc dans mon cœur, comme une caresse de ton souffle, comme un éclair dans la nuit. À cet instant j'ai su. Évidence que la raison déteste. J'ai su que j'étais dans l'entonnoir qui m'amènerait à ce rendez-vous avec toi. Quoi que je fasse pour y échapper, cette « mélodie » serait la piste sur laquelle j'allais devoir parier ma vie.

J'avale les coordonnées de Francisco. L'air se charge de joie. Et je l'inspire...

Londres, 11 juillet

Toujours pas partie. Je me renseigne sur l'Amazonie. Je traîne, je tourne. J'ai la trouille, je crois. De celle qui sait qu'elle n'échappera pas à sa décision. Me reste à travailler. Pour justifier. Pour avoir moins honte d'accepter en moi cette femme qui a peur. Je suis ma seule ennemie. Celle qui me donne les mots pour échapper à ma promesse. Comment trouver la force...

Je *performe* sur scène. Dans une pièce qui dure vingt-quatre heures ! Faut pas moins pour engourdir mes neurones courbatus. *The Warp*, ça s'appelle. Je m'y colle un week-end sur deux. Pendant trois mois. C'est Claudia qui m'a déniché ce travail. Quand je me suis pointée à Londres après avoir tout laissé tomber en France. Après ta mort. De toute façon je ne pouvais plus vivre dans ces objets que tu n'habitais plus. J'ai basculé. Dans ce moment où les conséquences d'un acte deviennent invisibles. Dans ce moment où la fuite est le seul geste qui empêche de hurler.

Claudia est assistante du metteur en scène. Je suis chargée d'improviser pendant vingt-quatre heures d'affilée la musique qui va souligner et accompagner le jeu des acteurs. Me voilà pianiste de cinéma pas muet. Minute par minute je joue les émotions que je reçois. Jusqu'à ce jour, où après quatorze heures d'improvisation j'ai posé ma tête sur le clavier du piano pour lui transmettre les vibrations musicales de mon ronflement. Dodo. Il a ri. Le public. Paraît que le clavier avait laissé traîner quelques empreintes sur ma joue droite...

Ce fait de guerre n'a pas empêché une productrice de BBC World de me commander une musique pour le Sacred Voice Festival de Londres. Elle voulait que je crée un concept « Musique contemporaine-Percu iraniennes ». Sur des textes de Rumi, le poète persan. J'ai tout fait ce qu'elle m'a demandé. Et aujourd'hui c'est le concert !

Je suis accompagnée aux percussions par Bijane Chémirani. Raficq Abdulla est le récitant. Il lit les textes de Rumi, tirés du livre qu'il vient de faire éditer. Gros succès. Oui c'est vrai !

Je parle de mon projet de voyage en Amazonie

à Kristine, la productrice. De la recherche de mon son, de rencontres avec des chamans. Elle me dit que ça l'intéresse. Of course, elle est productrice d'émissions de world music.

Elle me propose même de faire des émissions de radio dans lesquelles je pourrais faire partager mon expérience. Elle me prêterait le matériel. Je n'aurais qu'à enregistrer tout ce que je vis, pense, découvre. Pour BBC World. Que vais-je répondre ? Me demande...

Paris, 11 octobre

Extérieur : Jour.
Intérieur (de moi) : Voudrait s'échapper. Désespérément.
Âge : variable.
Poids : 7 (euro-kilos).

Ça y est. Je pars demain pour l'Amazonie. Un mois. Retrouver Francisco. Beaucoup de courrier et de questions entre nous depuis cette soirée à l'October Gallery. La Sachamama, le bout de jungle de Francisco, est aussi un centre d'étude des méthodes de guérison héritées des cultures indiennes et précolombiennes. Moi je veux trouver mon « son ». Je veux te retrouver. C'est tout.

J'ai acheté un sac à dos. Je n'en avais pas. Je

vais devoir marcher. J'aime pas marcher. C'est pour ça que je n'ai pas de sac à dos. Je suppose. Le mot *promenade* me déprime. Alors j'ai rempli le sac à dos. Il est bicolore, vert foncé et vert bronze. Super-beau. Super-pro. Vingt litres, je crois. Toujours trop petit. Même en bourrant.

Débat avec moi sur l'indispensable. Une moustiquaire, cinq bouteilles de repousse-moustiques, pas de traitement antipalu, pas envie d'avaler ça. Pas de vaccins non plus. Parce que je suis morte déjà une fois. À cause d'un vaccin contre la variole. C'était à Ouagadougou, la capitale du Burkina Faso. Mes parents vivaient là et moi aussi, depuis l'âge d'un mois. J'avais onze mois quand la réaction au vaccin a déclenché un œdème pulmonaire aigu. « Votre fille est perdue », a dit le médecin de l'hôpital. Paraît que j'étais déjà toute bleue. Alors il a tenté le traitement de la dernière chance... Et je suis « revenue ». Probablement le besoin d'embrasser celui qui venait de me sauver la vie. À Ouagadougou.

Bon. Alors pas de vaccin. Rien d'obligatoire de toute façon pour l'Amazonie. Je tente. Une brosse à dents pliable rouge et vert, dentifrice, tu étais dentiste, je pleure, deux pantalons, un noir en lin et un beige en nouveau matériau hyper-respirant, deux chemises, une grise sans manches, une kaki pleine de manches et de poches, deux culottes, deux soutiens-gorge, une petite serviette de toilette, un drap genre sac à viande bleu ciel en coton pour deux personnes pour moi toute seule, savon de Marseille, un couteau suisse avec ciseaux et tire-bouchon, un dico d'anglais, faut pas oublier que j'ai accepté de travailler pour la BBC, bien fait pour moi, deux micros, deux Mini-Discs recorder, vingt Mini-Discs pro, deux pieds de micro, un petit un grand, plein de piles, des pigments naturels pour les peintures de Francisco, crème pour le visage, deux paires de chaussures de marche en toile, une kaki une beige, *Vous qui habitez le temps* de Valère Novarina, *Le Fou* de Khalil Gibran, des cahiers pour écrire moi aussi. Et voilà.

Treize kilos cinq cent cinquante-huit au total. Pour un mois. En comptant cinq kilos pour le matériel d'enregistrement, je me trouve finalement assez sobre comme fille. Un peu de fierté a même l'audace de venir déranger ma trouille. Toujours là. Agrémentée depuis quelques matins d'une grosse angoisse dans le ventre. Et ailleurs aussi. Ça gagne. Bien fait. Ça m'apprendra à apprécier ma petite vie tranquille de compositeur bien en équilibre entre son piano et son ordinateur. Demain...

Avion, 12 octobre

Extérieur : Jour. Dans le ciel bleu sans nuages. Intérieur (de moi) : Aucune ressemblance avec le ciel.

Hauteur (de moi) : En baisse.

J'adore l'avion. D'habitude. Là, je pense. En boucle. « Je déteste l'humidité, je déteste marcher, j'ai horreur des moustiques. » Une vraie chanson. Paris-Atlanta, Atlanta-Lima, Lima-Iquitos. Au moins vingt heures de voyage. Je joue avec l'écran digital incrusté dans le fauteuil devant moi. Trop près de moi. Le fantôme qui est dedans a fait basculer son dossier. M'énerve. Je bascule aussi le mien. Bien fait.

Kristine, la BBC productrice, m'a demandé d'enregistrer toutes mes émotions, mes pensées, ce que je vois, ce que je ressens... J'adore pas. Pas l'habitude de raconter mon temps. Casque sur les oreilles, gros micro devant la bouche, tout ça connecté au Mini-Disc posé sur mes genoux, j'enregistre. Trois phrases. C'est tout ce qui sort. « Je suis dans l'avion », « J'ai un bel écran devant moi, sur lequel je peux regarder des films », et le bouquet, à la fin de l'envoi je touche : « Ce voyage commence bien, je suis très excitée. » Ma carrière de journaliste se dissout à l'horizon. Pourquoi ai-je accepté ? Plein de films à regarder. Pas envie. Je pense. Toujours la même boucle.

Iquitos, vendredi 13...

Extérieur : Jour et très chaud. 8 h 30 du mat.
Intérieur (de moi) : Fallait pas dire la date.

Fait trop chaud. Je transpire. Bonne surprise, quelqu'un demande « Coriné » à l'aéroport. Il s'appelle Joël. Ça me fait rire. Je me dis que c'est moi le *cadeau de Joël*. Bon. Je me pardonne. C'était nécessaire à l'ascension du moral. Je récupère mon sac à dos et je le suis. Du verbe suivre.

Joël me fait monter sur une moitié de moto rouge, accrochée à une carriole rouge, biplace avec un toit en plastique rouge. Partez ! Le vent prend de la vitesse. Il me raconte la ville. Les mains pleines de micros tressautants, accrochée par les jambes à la croupe de mon cheval de fer, j'enregistre ! Le casque de contrôle me pétarade dans les oreilles. Je voudrais me moucher. Il faut positiver. Répéter cette phrase : *Le casque protège mes oreilles du vent et le micro m'empêche d'avaler des moustiques quand j'ouvre la bouche...* J'entends soudain la voix de Joël : « Iquitos est une ville de cinq cent mille habitants, au nord-est du Pérou, développée à la fin du XIXe grâce au boom du caoutchouc. On ne peut y accéder que par avion ou par bateau. C'est la seule aussi grande ville au monde à ne pas avoir de route d'accès... »

J'imagine une île entourée d'une mer verte, pleine d'arbres et d'animaux sauvages dedans. Bientôt je ne serai plus sur l'île. Je ferai la planche dans la mer verte. Ventre gargouille. Une demi-heure de route vers le nord d'Iquitos. Stop.

Encerclé par la jungle, sac à dos sur le dos, casque et micro imperceptiblement en place, Tintin reporter avance. Droit dans la verte dimension. Je suis en apnée. Juste le temps de plonger.

Je n'ai pas demandé combien de temps il faudrait marcher. Par sagesse pour moi, qui préfère ne pas savoir. Une vraie autruche. Attaque de moustiques. Attaque d'humidité. Attaque de chaleur. Du mal à respirer. Cœur à 200 bpm. Battements par minute. L'eau gicle de mon corps. Treize kilogrammes cinq cent cinquante-huit. Je calcule. Plus du quart de mon poids. Trop lourd. Une flaque de transpiration s'immisce sous chacun de mes pas. Je souffle. Le chemin monte maintenant. Il est très étroit, bordé de géants de cinquante mètres qui me plaquent au sol. En riant. Oui c'est vrai ! Ça caquette de partout.

Je rêve de toucher le ciel, tout là-haut. Je voudrais le chatouiller avec l'aile multicolore de mon deltaplane. J'ai toujours préféré voler à marcher. Par flemme je crois. Quand elle peut m'éviter un effort, ma flemme est toujours plus forte que ma peur.

En tout cas mon deltaplane est en miettes maintenant. Une fois de plus je l'ai échappé belle.

Parce que la dernière fois que je m'en suis servie, j'ai fait un décrochage à vingt mètres du sol ! Un coup de vent m'a embarquée. L'aile s'est mise en piqué. Je me souviens de mes yeux, immensément ouverts, qui cherchaient sur quoi de confortable j'allais bien pouvoir m'écraser... C'est là que les deux arbres me tendirent leurs branches. J'y fis un arrêt salutaire et m'en tirai sans une égratignure ! Paraît que j'avais le teint blanc du fantôme. « Mais pas encore sa texture ! » eus-je l'énergie de penser...

De toute façon il n'était pas encore l'heure de mourir. Je devais te rencontrer. « Contente-toi de ton caractère aptère », m'a dit ma voix. La méchante. Je n'ai plus volé. Qu'en rêve.

Le son. Le bruit de la dimension verte me ramène au calvaire. Sur fond de percussions cardiaques il me tombe dessus. Imposant son silence. Vivant. Je marche. Larguant l'eau de mon corps. J'écoute...

Arrivée au port. Il a fallu une demi-heure de marche dans la jungle. Suis toute fondue. La ligne d'arrivée du chemin de la jungle est un jardin tropical avec une très grande hutte. En construction. Je découvre Sachamama. Décharge de joie. Beauté du lieu. C'est une lumière fleurie entourée de jungle avec de la fumée grise qui fait des dessins dans le ciel. La fumée sort d'une hutte. Je respire. Feu de bois. Cinq huttes au total. Plantées dans le jardin comme des arbres. Protecteurs. Elles ont une charpente en bois, un toit de feuilles, un plancher en bois à environ un mètre du sol. Sur pilotis.

Pas de murs tout autour, mais des sortes de palissades en bois avec une moustiquaire au-dessus.

La hutte qui signale l'entrée de Sachamama est la plus grande. Environ cinq cents mètres carrés. Joël me dit que Francisco va en faire une école pour les enfants d'Iquitos. Une école d'enseignement des plantes de la jungle, celles qui guérissent, et des traditions chamaniques. Retour aux sources. Sauvetage. Ici comme ailleurs les enfants sont davantage connectés au monde virtuel qu'à celui des esprits.

J'entre dans une des huttes. Environ cinquante mètres carrés. Deux grandes tables longues en bois, deux dames assises qui me regardent et des étagères à gauche de l'entrée. Il y a plein de bouteilles remplies de plantes mystérieuses sur ces étagères. Des étiquettes blanches sont collées sur les bouteilles avec le nom de chaque potion écrit au feutre noir. J'adore. Ça fait pharmacie de sorcière.

Francisco arrive. Je suis super-contente de le retrouver. Si j'étais un chien je lui ferais une fête. Je reste digne. Il n'a pas changé. Toujours ce regard doux qui me rassure. Je suis bien. Il me propose de vivre la vie d'une apprentie chamane. Seule façon de découvrir mes sons, de comprendre leur monde... « Ouiiiiiiii », dis-je. So excitiiiiing !

Francisco me présente aux deux dames. Bettina et Joan. Joan est américaine, productrice d'émissions de télé, comédienne, la soixantaine sèche, très maigre, pas beaucoup de rides, sauf sur le cou, joues creuses, bronzées, pas maquillées, cheveux châtains teints, courts, contact à l'américaine tout-de-suite-on-est-amies. Elle est là pour un problème de cervicales. Ça fait dix ans qu'elle ne peut plus tourner la tête. Elle a tout essayé. Un de ses amis ethnobotanistes, spécialiste des plantes d'Amazonie et de l'ayahuasca, lui a conseillé de venir ici.

Bettina est allemande, psychiatre, spécialisée dans les maladies psychosomatiques. Elle est là pour étudier les effets de l'ayahuasca sur le psychisme. Je suis donc la seule à être là pour découvrir un son... Bettina a du rouge à lèvres rouge, elle est brune. Mince, la cinquantaine jeune. Des rides au coin des yeux. Comme des éclairs. Contact prudent. On dirait qu'elle analyse. Elle me scrute. Pendant que j'ai le dos tourné. Je le sais.

Francisco me dit qu'il va me montrer ma hutte. Très bien. Repos pour la reporteuse. Mais on dirait que son doux regard se teinte de malice...

Je recharge mon sac à dos. Il est mouillé là où mon dos s'est frotté. C'est froid maintenant. Bon. Francisco fait couler de l'eau d'un bidon en plastique muni d'un robinet blanc, dans une bouteille également en plastique. Eau potable. C'est là que je devrai m'approvisionner. Il me tend la bouteille. Pour moi.

Nous prenons un petit chemin qui part dans la jungle. Tiens ! Un chant d'oiseau domine les autres.

— Quel est l'oiseau qui chante, là ? Ce son comme un wooooou, wooooou, qui commence grave et qui finit aigu ?

— Ce n'est pas un oiseau, c'est une grosse grenouille.

— Ah ? ? ? On aurait dit un oiseau...

Pauvre idiote. Tais-toi, va ! Nous marchons toujours. « Francisco, c'est encore loin ? ? ? » Voix voilée par l'angoisse. Il ne répond même pas. Il me montre une direction en souriant. Pente à soixante-dix pour cent. Au moins. Ça glisse. Je règle les freins. Le sac à dos me pousse ! M'énerve. Il a dû pleuvoir beaucoup. Ça sent l'humus. Arrivée en bas, je lâche mes jambes. Décontraction. Je déteste ce fond de vallon ! Un petit cours d'eau forme un serpent autour des arbres. Un vrai fouillis vert avec de la mousse. Nous passons sur trois planches pour traverser le cours d'eau. Pas beaucoup de lumière. Tiens ! une hutte. Toute petite. Seule. Isolée dans le vallon. Je ne la voyais même pas. Juste un toit de feuilles et un plancher en bois.

— T'as vu la hutte, Francisco ? Elle a même pas de murs ! C'est en quoi le toit ?

— En feuilles d'irapay.

Ah bon ? Silence. Pourrait développer quand même.

— Mais qui peut vivre là-dedans ?

Francisco sourit.

— Toi, par exemple. C'est ta hutte de diète.

— Arrrgh...

Il ajoute que, pour entrer en contact avec les esprits des plantes, je DOIS vivre isolée. Arrrrgh again. Si au moins je pouvais m'évanouir. Tout oublier. Réveil obligatoire.

Visite de la hutte. Afficher un sourire sur ma bouche qui dégouline. Une charpente en bois soutient le toit de feuilles. Trois marches, en bois aussi, permettent d'atteindre le plancher sur pilotis. Pas de murs. Pas d'entrée. J'ai l'impression de monter sur scène ! Toute la jungle me regarde. Je vais vivre dehors pendant un mois et je crois bien que j'ai le regard de la gagnante du jeu de la trouille. Dix mètres carrés. Petite scène. Mais grand talent ! Décor conceptuel : un hamac enveloppé dans une moustiquaire et suspendu à la charpente, une petite table en bois avec une tasse en métal émaillé blanc, des bougies blanches en vrac posées dessus, un tabouret à trois pieds en bois même pas devant la table, c'est de l'art, un balai en bois avec des poils en fibres végétales et voilà. *Scène 1 acte I.* Ah pardon, le rideau est déjà levé. Je me remercie pour l'amour d'un regard de vache qui a su voir l'infini que tu laissais en moi...

Francisco me dit de le rejoindre à midi et demi pour le déjeuner. Il s'en va, aussi léger qu'un oiseau. Il doit mesurer un mètre soixante, tout maigre, visage à angles, nez très droit, fine moustache, grands yeux noirs ronds enfoncés dans leurs orbites, cheveux raides épais et noirs coupés court.

Je m'assois. Ne pleureu paaaas Jeanè-hè-tteu ! On te regarde. Et puis tu ne dois pas apporter plus d'eau à cet environnement déjà très mouillé.

Du feu. Mettre le feu au serpentin antimoustiques. Ça c'est une bonne idée. Vrai que je n'ai rien pris contre la malaria. Manquerait plus que ça. Je pose le serpentin en flamme sous le hamac. Je souffle la flamme. Ça fume. J'aime pas l'odeur.

Je vais tenter un tour de hamac. Je soulève la moustiquaire qui l'emballe bien. By chance. Pas stable ce truc. Je pose une fesse, se barre. J'ai failli me casser la gueule. M'énerve. Je veux mon lit. Seconde tentative. Réussie. Non mais ! Ça balance vachement quand même. Beurk. Je lance une main par terre, grappin de doigts. Et voilà. Ça s'arrête. Pas si mal.

Je suis FATIGUÉE, vous entendez ? Idée fixe, qui trotte. Déballer mon sac à dos, seul lien avec l'autre monde, là-bas, où on est bien confort. Je pose le matériel de la BBC sur la petite table avec mes cahiers pour écrire, les livres, le dico d'anglais et ma lampe frontale. Plus de place. Regard hébété sur tout ça. Long moment. Lequel de ces objets sera la baguette magique qui me ramènera dans ma maison ?

Faut tout déballer. Et changer de chemise. Je mets la kaki. Besoin d'être invisible. Pas l'habitude de cette scène. Je remballe. On peut rien ranger ici. Je n'aime pas le bordel. Le sac à dos sera mon placard. Je l'accroche à un des montants de la charpente. Il est tout droit. Tout fier.

Petite décharge de trouille dans mon ventre, en pensant à la nuit que je vais devoir passer là, telle une offrande mise en scène, avec cette seule moustiquaire pour protection. Bon. J'ai faim. Mes pattes reprennent le chemin à l'envers. Ça monte. Regarde bien où tu mets les pieds, ma fille, c'est un chemin serpentifère ! Au mieux. Toujours la grenouille en fond sonore. J'aime bien. Il fait soleil. Très chaud. Trèèès humide.

Arrivée dans la hutte-cantine. J'ai l'adrénaline en baisse. Bettina et Joan et Francisco sont là. Bonjour enjoué. On me présente Carmen, la cuisinière. Elle a les rondeurs de la gourmandise et un immense sourire. Qui m'accueille. Je le lui rends. Ses yeux sont comme deux olives noires dans un verre de champagne. Elle porte un chignon de cheveux noirs, un tee-shirt blanc, un tablier orange. Trop serré. Et une assiette blanche, fumante, qu'elle dépose devant mes crocs. Qui hument. Qui se délectent. Riz-carottes-*poisson de l'Amazone*. Mon premier. Je dévore.

Francisco m'explique que la cérémonie d'ayahuasca aura lieu dimanche soir. Bettina et Joan, qui sont arrivées il y a une semaine, ont déjà testé la chose. Elles me racontent avec délectation l'enfer qu'elles ont vécu. Genre malades à dégueuler et à avoir la diarrhée qui vous accroche au sol pendant quinze heures d'affilée et même pas de visions. Quant à Francisco, il ne trouve rien de mieux à raconter que son initiation d'apprenti chaman.

Orphelin à l'âge de dix ans, il se réfugie chez son oncle, chaman, qui vit à plusieurs jours de marche de son village. Francisco dit à son oncle qu'il veut devenir chaman. Bien, lui dit son oncle. Et il commence par le priver de nourriture pendant plusieurs jours, ne lui donnant que quelques mixtures et tisanes, jusqu'au jour de l'initiation où il lui fait boire une dose d'ayahuasca à droguer un cheval... Francisco commence par vomir toutes les tripes de son corps. Puis les visions arrivent, horribles. La pire de toutes lui fait voir et ressentir que le sol de la terre s'ouvre sous ses pieds pour l'engloutir dans des profondeurs terrifiantes...

Silence. Francisco me regarde. Je m'entends hululer : « Non, non, moi je ne veux pas devenir chamane ! » Il susurre que cette cruelle initiation était le seul moyen pour son oncle d'évaluer sa détermination à devenir chaman. Et que l'ayahuasca doit nettoyer le corps avant d'enseigner à l'esprit...

Commence à m'énerver celui-là. Il fait exprès de me raconter toutes ces horreurs ! Je n'ai rien demandé à personne moi et puis il n'a pas vu que le mot « fragile » était gravé sur mon mental. Oui c'est vrai, je suis un être à manipuler avec précaution. Bon, eh bien puisque c'est comme ça je me retire. Sur ma scène. Voilà. Là au moins on ne m'importune pas. On se contente de m'observer. Et de m'applaudir.

Extérieur : Jungle bathroom.
Intérieur (de moi) : Rugueux.

Quinze heures. Francisco vient me chercher. J'ai eu le temps de me calmer. Sous l'œil vert des feuilles, il m'annonce que je vais avoir droit à un « bain de fleurs ». Surprise du chef. De toute façon, j'ai bien besoin de me laver. Il m'a juste dit que c'était un rituel de purification destiné à préparer mon corps à l'ayahuasca. Nous marchons dans la jungle. Jusqu'à un chemin très en pente qui s'ouvre sur notre gauche. Impossible de me repérer dans ce fouillis bruyant. Nous arrivons enfin dans une clairière dans laquelle je découvre un petit cours d'eau qui fait un C.

— Voilà ta salle de bains ! cacabe Francisco.

Grandeur nature. Pleine de vase. Ça ne sent pas mauvais parce que l'eau y circule lentement. Des sortes de barrages en planches comme des barrières « filtrent » l'eau. Ils ont été placés de part et d'autre du courant. La consigne est de se laver entre les deux barrages. Mais seulement si je veux éviter de prendre mon bain avec un crocodile. Glups, fait ma glotte.

Le dernier vrai crocodile que j'ai salué avait une flèche dans le dos et il était vivant ! J'avais cinq ans. C'était à Sabou, toujours au Burkina. Les crocodiles y sont sacrés mais celui-là avait « fauté », il avait avalé un enfant du village. Alors on lui avait imposé le châtiment de la flèche dans le dos pour lui signifier qu'il ne fallait pas recommencer ! Il n'avait pas recommencé et pendant des années il avait été l'attraction du village.

Œil circulaire sur ma salle de bains amazonienne. Pas de bêtes à l'horizon. De la terre marron clair très tassée sur la rive, trois bancs en bois, une grande jarre en terre d'environ un mètre de haut posée sur le sol, un billot de bois à côté genre tabouret, un piquet en bois avec un seau en plastique blanc qui y pend et une planche pour traverser le cours d'eau. La jungle forme un écrin vert sombre tout autour de cet espace. J'aime le lieu. C'est très paisible.

Francisco me montre la technique de lavage. Ça consiste à prendre le petit seau, à le remplir d'eau froide et marron de la rivière et à s'en asperger sans modération. Bon. Mais le bain de fleurs alors ? Francisco se dirige vers la jarre en terre. Je le suis. Nous regardons à l'intérieur. C'est de l'eau avec plein de fleurs et d'herbes qui macèrent. Huit variétés. Jaunes et blanches et vertes. Ça sent très bon. Une odeur que je ne connais pas vraiment, mélange de cresson, menthe, fleurs des champs. Je m'imprègne.

Francisco allume une cigarette. En fait, du tabac noir, roulé dans une feuille blanche épaisse comme du papier d'imprimante ! On les achète au marché d'Iquitos. Ça s'appelle *mapatcho*. Francisco aspire la fumée et la souffle sur l'eau des fleurs. Par ce geste il lui donne de l'énergie, sans quoi elle serait plutôt « vide », m'explique-t-il. Puis il siffle, puis il chante. La tête dans la jarre. Rituel de purification.

Francisco me demande ensuite de me déshabiller et de m'asseoir sur le billot de bois. C'est moi qu'on sacrifie aujourd'hui ? Un grand papillon bleu volette autour de moi. Joli signe. Francisco dit que c'est à cause du parfum des fleurs. Une moitié de calebasse est posée à côté de la jarre. Il la remplit de cette macération glacée et hop, les fleurs et l'eau se retrouvent sur ma pauvre tête bien chaude. C'est hyper-froid ! Il me dit de me frotter avec les fleurs. Les pétales écrasés contre ma peau libèrent leur parfum. Un rêve. Il verse trois fois de l'eau froide sur ma tête. Froide, maintenant. Je me sens renaître.

Nous allons à la hutte de cérémonie. Je dois être parfumée ! C'est la dernière épreuve du rituel de purification. Et la vierge pourra fêter ses noces avec la forêt. Moi j'aime pas les mariages. Remontée de la pente pour arriver au sommet d'une petite colline. La hutte est là, toute légère au milieu des arbres. Très droits, très hauts.

Nous entrons dans l'espace sacré. Environ trente mètres carrés. Toit en feuilles, charpente en bois, pas de murs, pas de plancher, la terre de la jungle sous mes pieds. Deux longs bancs en bois entourent l'autel, une simple table de planches qui indique l'est et sur laquelle sont assemblés pierres magiques, fioles à parfum, tabac, cigarettes roulées...

Tous ces objets sont les instruments dont les chamans ont besoin pour négocier avec les esprits. Tandis qu'il me demande de m'asseoir sur un tabouret en bois à trois pieds comme des ceps de vigne, Francisco prend un pot carré en plastique. Qui contient une macération d'alcool et de fleurs. Le parfum. Son parfum. C'est lui qui l'a composé. Avec des fleurs de la jungle. Tout un art. Qu'il maîtrise. Il est *parfumero*, c'est-à-dire un homme qui sait associer les fleurs pour en composer des parfums et qui connaît leur symbolique pour communiquer avec les esprits. Les esprits sont comme les humains, ils aiment les parfums. Francisco retire le couvercle du bocal. L'odeur s'échappe. Cerveau primaire en érection. Je sature mes poumons. Ça sent booooon. Je dirais « Eau de forêt-fleurie-sucrée-alcoolisée-aiguë ». C'est en mots ce que je ressens. De toute façon la recette est secrète. Ne pas chercher à comprendre. Bref, grandiose.

Le rituel commence. Francisco prend une *shacapa*, un simple bouquet de feuilles dont il va se servir comme instrument de musique. Ça me fait penser aux masques de feuilles des Bobos. Pas mes bourgeois-bohèmes, que j'aimerais ne jamais avoir quittés, mais la tribu qui vit au sud-ouest du Burkina Faso. Selon leur mythe de création, c'est le dieu Wuro qui est à l'origine du monde. Ce dieu s'est effacé lorsqu'il a estimé sa création dans un état d'équilibre parfait, mais très vite il s'est rendu compte que, par leurs activités quotidiennes, les hommes ne cessaient de déstabiliser son monde. Alors avant de disparaître complètement, Wuro a délégué une partie de lui-même pour assister les humains. Cette partie est symbolisée par un masque de feuilles qui rappelle aux hommes l'aide dont ils peuvent disposer pour réparer leurs dommages et recréer l'état initial d'équilibre conçu par Wuro...

Francisco trempe la shacapa dans le parfum. Il allume un mapatcho, aspire la fumée, me la souffle dessus à des endroits bien précis : crâne, poitrine, haut du dos, dans les mains, qu'il m'a demandé de réunir devant moi, doigts tendus. Puis il commence à chanter en battant un rythme avec la shacapa imprégnée de parfum. L'odeur se répand tout autour de moi. Ivresse. La shacapa effleure ma tête, mon dos, toujours dans le même mouvement rythmique. Je reçois un peu de parfum dans mes mains. Je dois frotter mon visage. Le parfum pénètre ma peau. Besoin de respirer. Ouverture du nez. Je suis au cœur de l'énergie primordiale. Inspiration. Enfin...

Seize heures trente. Je vais me coucher. Pas dormi depuis Paris. Remarque, j'ai bien fait. Bien fait d'apprécier mes adieux à une vie confortable.

Avant de plonger dans mon hamac j'ai l'élan de vouloir couper mon téléphone portable pour ne pas être réveillée. Bécasse, y en a plus de portable ! Plus d'objets, sauf les gestes que leur utilisation a imprimés en moi. Je me souris. Pas trop tôt. Adieu.

Extérieur : Nuit. Ma scène. Concert dans la jungle.
Intérieur (de moi) : Trouille obscure.

Je me réveille dans le noir avec des milliards de bêtes qui crient. C'est affreux. Je réalise en plus que j'ai laissé ma lampe frontale sur la table, là-bas, très loin. Va falloir y aller, dans le noir, pieds nus, en imaginant des tarentules et des serpents vautrés sur le plancher. Cœur à 300 bpm. Plus qu'à soulever la moustiquaire, m'asseoir sur le bord du hamac, faire tremper mes pieds dans le noir et plonger. 400 bpm. J'y vais.

Orteils tout recroquevillés, la bouche aussi d'ailleurs, figure en accordéon sous vide, yeux nyctalopes, poumons bloqués, hop, hop, sur le côté externe du pied. Les mains tâteuses de noir en paravent, j'arrive sur un objet dur. Caresse. Ah ! voilà la table. Trouver cette putain de lampe maintenant. Y a plein de trucs qui sont derrière moi, qui vont me rattraper si j'allume pas tout de suiiiiiite, cherche, cherche, LUMIÈRE ! Trop tard, hé, hé, m'avez pas eue, vilaines grosses choses gluantes.

Je pose la lampe sur mon front impatient. J'ai un gros phare comme troisième œil maintenant. Plus qu'à bouger la tête pour éclairer le plancher. Pas de bêtes. Pauvre idiote. Même technique pour éclairer la jungle, autour de moi. Je dois faire tourner mon corps pour suivre ma tête. Le phare me tombe sur le nez. Surtout ne pas l'éteindre. Je passe les mains derrière ma tête pour resserrer la bande élastique. Paf, aïe, voilà. 200 bpm. Calme. Je suis calme. Balayage lumineux de tous les recoins de ma scène. Vue de la jungle, je dois ressembler à une grosse luciole qui performe. Bon, je ne peux pas garder ce truc-là toute la nuit sur ma tête. Je vais installer plein de bougies tout autour de mon plancher. Les allumettes font un bruit mouillé à l'allumage. Pas d'allumage. Juste une petite odeur de soufre. J'inspire. 100 bpm. J'adore cette odeur. Heureusement j'ai un briquet. Et voilà. Un carré entouré de bougies. La pièce que je vais vous interpréter ce soir...

Les bougies ne risquent pas de s'éteindre ici. Pas de vent. Fond de vallon. Ou alors c'est un esprit qui pète.

Dix heures vingt. Un ange passe. Je devais aller dîner à sept heures ! Raté. De toute façon il n'est pas question que je traverse la jungle dans le noir. C'est plus fort que ma faim. Préfère attendre qu'on veuille bien rallumer le jour. Je prends la revue que j'ai achetée à Atlanta genre gossip. Hop, sous la moustiquaire dans mon sac à viande bleu ciel. Un grand de cent quarante. Celui pour une personne mesurait soixante-cinq centimètres de large. Un vrai cercueil. Là au moins c'est grand. J'écarte les jambes. Pour voir. Bonheur.

Scène 1 acte II. Regardez-moi bien, les ceux de la jungle. Eh bien je vais lire et puis dormir et je n'éteindrai pas les bougies, voilà ! Après tout on n'a jamais vu une scène sans lumière. Et les bêtes de nuit, si ça vous dérange, vous n'avez qu'à aller dormir ailleurs. Non mais.

Samedi 14 octobre

Extérieur : Jour. À travers ma moustiquaire.
Intérieur (de moi) : Tout cassé.

Six heures trente. La momie, enveloppée de moustiquaire, s'éveille. La douleur me fait réaliser dans quelle galère je me trouve. Aïe. Putain de hamac. Tête et cou à angle droit. J'ai dormi en chien de fusil. Maaaaaal. Je vois la jungle. De l'autre côté de la moustiquaire. Envie de faire pipi. Fait pas très chaud. Humide. Oh le gros papillon bleu. Je soulève la moustiquaire. Bleu intense. Je me sens comme une chenille dans son cocon de hamac. Je vois mal comment je vais me transformer en papillon ce matin. Dépliage sonore. Faim. Petit déj à huit heures et demie. J'ai pas dîné hier soir, moi. Odeur de mouillé. Ça sent la feuille. J'inspire.

Ah oui, pipi. Sortir du hamac, descendre de la hutte et aller près du petit cours d'eau. D'un pratique ! Bon. Je suis sur les planches. Vérifier qu'il n'y a pas de bestioles sous mes petits pieds chauds du matin. Vérifier l'intérieur des chaussures en toile. Personne. Je peux y aller. Aïe. Mal à la hanche aussi. Côté droit. Tour de chauffe obligatoire. Je plonge la tête dans mon sac à dos. Pas envie de chercher. Pantalon beige et chemise kaki. Les mêmes qu'hier. Au moins mon public me reconnaîtra.

Les bougies ont fondu. Ça fait plein de petits tas de cire blanche tout autour de ma scène. Boitillage jusqu'au cours d'eau. À trois mètres de ma hutte. L'eau n'est pas profonde. Dix centimètres. Et pas plus d'un mètre de large d'une rive à l'autre. C'est plein de vase marron au fond. Où vais-je m'installer ? Tourne-vire dubitatif. Je finis par m'accroupir sur un bord bien en pente, calculé pour que mon pipi coule direct dans l'eau. Pas sur mes pieds. Plein de moustiques ici. Mal aux jambes. Une main au sol pour tenir l'équilibre. Regard entre mes jambes pour essayer d'apercevoir les bêtes sur mes fesses dénudées. Vraies offrandes. Peux pas voir. M'énerve. À quoi ça sert d'avoir des yeux si on peut même pas voir son cul. Bon. Améliorer la technique. Reste une main de libre. Je n'ai qu'à donner des petites claques sur mes fesses pour dissuader les virtuelles bestioles de s'en gaver. Voilà. C'est parti. Aïe. Trop fort. Je pense à là-bas. Chez-moi. Le pays où l'on peut faire pipi sans les claques.

Sept heures. Encore une heure et demie à attendre avant le petit déjeuner. Je dois enregistrer pour la BBC. Mais avec des dents propres. Coutume personnelle oblige. Et petit pont, qui dans cet état de choc a le pouvoir de me ramener au douillet monde duquel je viens... Je mets de l'eau de la bouteille en plastique dans la tasse en métal. Choc pour l'eau. Je demande pardon à l'eau. On ne sait jamais. Ça se vexe peut-être les esprits. Et là j'ai vraiment besoin d'un brin de compassion. Plus qu'à porter secours à la brosse et au dentifrice qui se sont perdus dans mon sac à dos, à les étaler l'un sur l'autre sans trembler et hop à me pencher sur le bord du plancher de ma hutte. La bouche ouverte. Ça mousse. Finalement ça sert à rien un lavabo. Je m'essuie avec la serviette en papier spécial qui gonfle, du Vieux Campeur.

Je commence à enregistrer. En gros la description de ma hutte. Le soleil arrive. Très doux. Je le regarde au travers des arbres. L'univers est noir et froid sans lui. Sans toi.

Extérieur : Jour. Hutte-cuisine. 8 h 30 précises.
Intérieur (de moi) : Faim donc pas d'oreilles.

Encore personne dans la hutte-cantine. Je vais direct à la cuisine, la hutte juste derrière. Un chemin d'environ dix mètres de long sur un de large relie les deux huttes. Il est couvert d'un toit de feuilles. D'irapay. Maintenant je le sais. Les murs de la cuisine sont des planches, avec deux grandes ouvertures sur la jungle en guise de fenêtres et une entrée sans porte.

J'entre. Carmen est là, devant un feu à un mètre du sol, des bûches disposées en étoile sur une espèce d'étal en bois, creusé en son centre. C'est son piano ! En bois très épais avec de gros pieds en bois aussi. Tout est noir. À cause de la fumée.

Sur le feu, une grosse bouilloire en métal genre aluminium fait de la vapeur blanche. Poêle toute noire aussi. Des oignons grésillent. Ça sent bon. J'ai faim. Carmen rigole de me voir renifler comme un chiot.

À droite de l'étal, le coin vaisselle. Juste deux bassines en plastique bleu, placées sur une planche. Il n'y a pas d'eau courante. Toute l'eau est apportée dans des bidons, de la rivière. À trois cents mètres en contrebas.

Des régimes de bananes sont posés par terre, à côté d'une table en bois et de deux bancs. Au-dessus d'une étagère je découvre des boîtes d'épices, quelques patates, tomates, un peu de vaisselle en métal émaillé blanc, des bougies et deux perroquets verts qui se mettent à siffler en me regardant. Ça me fait peur ! Bougeaient pas, je croyais qu'ils étaient faux. Je m'approche pour les regarder. Carmen rigole. Toujours. Elle finit par me donner une assiette de mangue épluchée, coupée en petits morceaux. Qui semble beaucoup intéresser les deux perroquets verts. Ils prennent en courant le chemin de mon assiette. Mais pas question de leur faire goûter à la moindre miette de mon trésor. Une fourchette à la main, je file jusque dans la hutte-cantine et je me jette sur ma mangue. Trente secondes chrono. Fini ! Plus rapide que les perroquets. Non mais. Moi aussi je peux m'adapter à la loi de la jungle.

Francisco arrive. Je l'aime bien de nouveau, ce matin. Il a son doux regard que j'aime. Il me demande pourquoi je ne suis pas venue dîner hier soir. Très drôle. Peux pas lui dire la vérité. Mon ego doit encore faire ses preuves ici. « Je dormais », m'entends-je répondre.

Il se met à préparer deux grandes Thermos d'une tisane à base d'écorce d'une liane appelée *clabohuasca*. Il me montre la liane. C'est un morceau de bois d'un centimètre de diamètre. Il faut plonger l'écorce dans de l'eau bouillante. Et boire l'infusion. C'est diurétique, anti-inflammatoire, antirhumatismal. Il me fait mâcher un bout d'écorce. Scrountch méfiant. Très léger goût de réglisse et clou de girofle. Mais ça m'anesthésie la bouche ! Francisco sourit. Il dit qu'ils s'en servent ici quand ils ont mal aux dents. C'est aussi utilisé contre l'impuissance. Ça donne en plus une énergie spirituelle qui empêche de se sentir faible lors des diètes. Soupir de compassion à l'évocation de cet affreux mot.

Il m'annonce que je vais devoir boire ce clabo-machin toute la journée. Plus de thé, plus de café, aucun excitant. Plus rien pour mon moral. Qui a toujours faim quand il est au régime. Déjeuner prévu à midi et demi. Même pas de chocolat, ici, pour compenser.

Premier cours de chamanisme. Bettina et Joan arrivent. Bonne humeur affichée. Bettina m'observe toujours. Nous nous installons autour de la table. Francisco commence.

— L'univers des chamans d'Amazonie se divise en trois niveaux : le niveau de l'air, celui de la terre et celui de l'eau. Chacun de ces mondes est sous le contrôle d'une : Mère *Huayramama*, la Mère de l'air (c'est du quechua, la langue indienne du Pérou et de la Bolivie), *Sachamama*, la Mère de la terre, et *Yacumama*, la Mère de l'eau. Chaque être vivant appartient à l'un ou à l'autre de ces niveaux, en fonction de l'environnement dans lequel il vit ou se déplace. Un oiseau appartient par exemple au niveau de l'air, un humain au niveau de la terre, un poisson au niveau de l'eau.

Bon. Ça avance. Et un humain qui nage ? Un œil noir me regarde. Bon ça va ! Je plaisantais.

Francisco dit alors un truc curieux. Il dit que ce mois d'octobre est un mois très important puisqu'il est le mois des trois Mères, et que nous, les trois étudiantes réunies, nous symbolisons les Filles des trois Mères. Il est donc « normal » que nous soyons là, justement en ce mois d'octobre. En quelque sorte il nous attendait ! C'est en plus la première fois de sa vie qu'il enseigne à trois femmes...

Moi je regarde Bettina et Joan. Qui me regardent. Les yeux entre deux mondes. Le nôtre et celui qui s'ouvre à nous. Faut-il lâcher les défenses ? Silence.

Francisco reprend le cours :

— Dans cet univers chamanique se côtoient trois mondes. Le monde des humains et des animaux, le monde des végétaux et le monde des esprits. Chaque être humain, animal ou végétal a son équivalent-esprit dans le monde des esprits. C'est toujours avec cet équivalent-esprit que le chaman doit entrer en contact pour acquérir ses connaissances, c'est toujours cet équivalent-esprit que le chaman doit « soigner » pour guérir son patient.

Comment le chaman communique-t-il avec ces trois mondes ? Par un langage. Commun à ces trois mondes, qui sont des chants, appelés *Icaros*.

Comment le chaman reçoit-il les messages du monde des esprits ? Par les visions, dues à la prise de substances hallucinogènes contenues dans l'ayahuasca ou le tabac, et par les rêves.

Comment améliore-t-il sa perception de ce monde des esprits ? En disciplinant son corps, son esprit et son mental. Pour ça, il doit suivre une diète stricte à base de plantes et vivre dans un lieu isolé.

La diète signifie que le chaman ne doit manger ni salé, ni sucré, ni épicé, pas de viande, pas de poissons avec des dents, pas de graisse, pas d'alcool. Il ne doit pas utiliser de savon, il ne doit pas avoir de relations sexuelles et il ne doit pas avoir de contact physique avec des personnes qui ne suivent pas cette discipline.

Diète et isolement sont destinés à rendre le corps et le mental plus perméables et donc à faciliter l'entrée en contact avec le monde des esprits.

Francisco m'explique mon programme. Panique d'abord. Je suis bonne pour la diète. Manquait plus que ça. Je commencerai ce soir. Et pire. Comme demain c'est le jour de la cérémonie d'ayahuasca, je n'aurai droit qu'à un petit déjeuner, soit du riz blanc bouilli pas salé sans gras, et RIEN d'autre jusqu'au lendemain matin ! Il m'explique que mon estomac doit être complètement vide avant et après la cérémonie qui aura lieu à vingt heures trente. C'est sûrement un cauchemar. Mais où ai-je bien pu oublier de me réveiller dans l'histoire ? Je regarde mes bourrelets. Pour me remonter le moral. À ce régime ils vont peut-être enfin me lâcher...

Extérieur : Jour. Ma hutte sous la lumière mouchetée d'un soleil traversant les arbres.
Intérieur (de moi) : Dubitatif mais...

Tourne, vire, sur ma scène. Je prends la dimension de ce nouvel univers. Ruperto le chaman monte les trois marches de mon domaine. Humble maestro de soixante-quinze ans. Une chemise à carreaux élimée, couleur de la patience, et un pantalon marron porté comme deux racines qui vont s'enfouir dans la terre. Pas de chaussures. Bloc d'énergie.

Rencontre. Par les yeux. Juste une fente illuminée de l'intérieur. Qui rit. Et plein de rides profondes, autour de cette ouverture sur des secrets à ciel ouvert. Un bout de mapatcho est roulé au coin de sa bouche. Éteint. Il a marqué son empreinte dans ce visage rond. Peau jaune foncé, un peu de ventre. On dirait jovial, mais le mot est trop fort. C'est beaucoup plus subtil. Plus harmonieux. Je crois que Ruperto se fond tout simplement dans la joie de cette nature. Ne pas faire tache. C'est peut-être ça la sagesse. Il sent le tabac brun et sa respiration siffle. Il fume beaucoup.

Ruperto est là pour tester mon énergie, pour la soupeser et « voir » quel sera mon programme de guérison. J'installe le matériel d'enregistrement. Suis prête. J'adore qu'on s'intéresse à mon cas.

Il me demande de m'asseoir sur le tabouret en bois, allume son mapatcho, aspire, souffle la fumée sur mon crâne, sur ma poitrine, sur mes cervicales et dans mes mains. L'énergie pénètre. Un chant sort de sa bouche, de son ventre. Très profond. Voix grave et cassée. Je m'ouvre par les oreilles. Il se sert de la shacapa, le bouquet de feuilles. Il la secoue avec sa main droite pour composer un rythme. Les feuilles se frottent entre elles. Vrai chœur végétal. Rythme binaire. Qui m'ancre dans la terre. L'énergie pénètre. Brûle les barrières. Je le sens. Besoin soudain de cette diète, besoin de cracher la douleur, besoin d'être légère. Pour te retrouver.

Extérieur : Hutte-cantine. 17 h 30.
Intérieur (de moi) : Faim.

C'est l'heure de dîner ! Tant mieux. J'ai droit à UNE patate bouillie et UN tout petit morceau de poisson spécial diète, ce qui veut dire « sans dents ». La tête de la bête n'étant pas dans mon assiette je ne peux vérifier cette étrangeté. Je regrette. C'est tout.

Il est temps de retourner dans ma hutte. Fait nuit. Trouille again. Et pas le courage de rentrer seule. Cette fois je suis obligée de l'avouer à Francisco, pour qu'il veuille bien m'accompagner. Ego en berne. Il rigole. Oui ça m'énerve.

Lampes frontales sur la tête, nous partons tous les deux dans la nuit bruyante. Je suis derrière lui. Exactement sur ses talons. D'ailleurs je lui marche deux ou trois fois dessus. Ben oui, fait nuit. Ne pas me faire distancer. Ne surtout pas me retourner non plus. Y a les choses gluantes qui me suivent. Film muet avec l'intérieur du mental à huit cents images-seconde. Atroce. Il me largue sur ma scène. Petit satellite égaré. Éclairage immédiat. La cour du Roi-Soleil ! Et dire que Francisco doit rentrer tout seul. Me sens idiote. Parfois.

Je m'installe à la petite table, pour écouter les enregistrements de la journée. Et voilà, c'est bien ce que je soupçonnais. Le micro n'était pas du bon côté. Là c'est une interview de la shacapa. « Tchac tchac, tchac, tchac, tchac, etc. » Triple buse. Bon, à revoir. Je vais me coucher. Pas envie d'écrire. Font un raffut autour. Ça me gratte. Sur le dos de la main gauche. Un seul bouton. Peut-être que ça suffit pour être malaria-positive. Manquerait plus que ça. Et Francisco qui m'a fait comprendre que sa potion contre la malaria n'existait que dans mon imagination ! Plus qu'à prier. Des fois ça marche. Il m'a donné un super-conseil en tout cas. En cas de piqûre, gratter au-dessus ou au-dessous du bouton. Jamais SUR le bouton. Et pourquoi ? Pour éviter les croûtes et les infections...

Repli sous ma moustiquaire. Je vais penser. Fort. À cause du bruit. Demain c'est dimanche. Ayahuasca. Gargouillis du ventre. Presque vide. Ce qui d'après mes copines de camp ne devrait pas s'arranger. Adieu.

Dimanche 15 octobre

Extérieur : Nuit. Ma hutte. 2 heures.
Intérieur (de moi) : En crue.

Je me réveille dans la nuit. Envie de faire pipi. Horreur. Faut dire qu'avec tout ce que j'ai bu dans la journée comme clabohuasca-tisane pour calmer mon estomac suppliant, ça devait arriver. Je jure en passant de ne plus jamais avaler le moindre élément liquide passé dix-sept heures.

Retour au problème présent. Il n'est pas question que je descende de ma scène pour me promener les fesses à l'air dans cette nuit tonitruante, sauvage et remplie d'éléments invisibles. Cerveau bout. Qui pond. Une solution.

Phase 1 : M'accroupir sur le bord de mon plancher, accrochée par une main à un montant de la charpente. Style guenon.

Phase 2 : Balancer le bout de mon postérieur dans le vide, « sanitaire » après tout, qui sépare mon plancher du sol de la jungle.

Phase 3 : Faire pipi. Voilà. Bonne surprise, ce vide est assez grand pour que je ne sente pas sur mes fesses nues les éclaboussures de mon pipi qui rebondit sur le sol. Jubilation. Démesurée je me l'accorde. D'avoir détourné un piège. Maintenant s'agirait de faire vite. J'appuie sur la région de mon ventre supposée recouvrir la vessie. Mon but étant qu'en augmentant la pression, je puisse augmenter le débit et ainsi réduire mon temps d'exposition à cette nuit. Noire. Ne pas se retourner. C'est long. Ça s'arrête jamais ? Putain de boissons diurétiques. Ah enfin !

Retour en courant sous ma moustiquaire. Enfouissement dans mon sac à viande bleu. Recouvrir les oreilles. C'est par là que les esprits entrent. Éteindre la lampe frontale. Essoufflement. Chaud là-dessous. Je dois retourner à la surface. Se calmer. Dormir. Seule retraite possible.

Réveil vers cinq heures. Ayahuasca-fête aujourd'hui. Il fait encore nuit. M'en fiche. Je réalise que j'ai moins peur de la nuit du matin que de la nuit du soir. Peut-être parce que je sens l'astre, tapi là, tout prêt à éclabousser le noir.

Je rêvasse quelques longues minutes sous ma moustiquaire. Je pense à la phrase de Francisco : « L'ayahuasca doit nettoyer ton corps avant d'enseigner à ton esprit. » Pourquoi moi ? C'est pas juste. Envie de faire pipi encore. Marre. C'est pire que les queues de cerise le clabomachin. Bon. Même technique et puis je me mets au travail. Faut enregistrer.

J'allume une bougie que je colle sur ma table. Start. Blablabliblabla... Me prend vraiment la tête ce job. Bien fait pour moi. Le jour se lève. Cinq heures et quarante minutes. Faim. Je décide d'aller trouver Carmen dans la hutte-cuisine. Fait pas très chaud quand même. Ça doit être l'hypoglycémie. J'embarque le matériel d'enregistrement. Mini-Disc recorder, micro et casque de contrôle. Oyez crocodiles, moustiques et bêtes tapies, la pro du son est enfin parmi vous !

Extérieur : Jour. Hutte-cuisine. 6 heures du mat.
Intérieur (de moi) : Feu crépitant tout chaud sous les marmites.
Odeur : Riz qui cuit.

Casque sur les oreilles, micro armé, j'entre dans la hutte, genre correspondante de guerre. Affamée. Elle peut frimer la guerrière, vu qu'elle a eu peur de son ombre et qu'elle est tombée du hamac. J'aperçois un brin de surprise friser les traits du visage normalement souriant de Carmen. J'aime beaucoup Carmen.

Dans un même élan je mets le micro sous les marmites pour prendre le son du feu. Rien n'est cuit. Of course. Je le mets aussi dans la marmite pour enregistrer le glouglou du riz, puis sous le nez du perroquet vert qui commence par vouloir le manger. J'adore tremper mon micro dans tous ces sons. C'est comme un pinceau qui pourrait restituer des couleurs sonores.

Des hommes entrent. Ils travaillent ici. À la construction de la hutte-école. Carmen va leur servir leur petit déjeuner. J'ai trop faim. « Et moi ? » demandé-je à Carmen. « Pas avant huit heures trente ! » Ahrrggg. Il est sept heures. Je ressens la détresse du chien qui réclame à manger à son maître, lequel fait semblant de ne pas comprendre. Bon. Me reste plus qu'à aller écouter mon enregistrement dans la hutte-cantine. D'un pas forcément léger vu le vide qui occupe mon estomac. Je m'assois. Le bruit enregistré arrive à mes oreilles. Pas si mal pour une fois ! Je me dis que ce son me ramène dans le passé. Que par lui je remonte le temps pour plonger dans cette bulle temporelle qu'était ma vie il y a cinq minutes. Silence inspiré...

On dirait que la diète commence à avoir des effets pervers. Ça promet. Francisco arrive. Il me montre des photos de ses peintures et la maquette du livre qui va en être tiré. J'adore toujours ses peintures. Les traits sont simples, les couleurs brutes. Il s'installe pour peindre. Il peint sur de l'écorce. Travaillée comme du papier. Ça donne des feuilles d'un à deux millimètres d'épaisseur, granuleuses, à peu près carrées, d'environ cinquante centimètres de côté. Certaines sont noires, d'autres écrues. La couleur initiale de l'écorce donne sa couleur au fond du tableau. Francisco peint avec des pigments naturels, mélangés à de l'eau et à une espèce de colle végétale qui va fixer la couleur sur ce support rugueux. Il doit repasser plusieurs fois sur le même trait, parce que l'écorce absorbe énormément. C'est très long. Il peint ses visions sous ayahuasca. J'aime le regarder peindre. Ces formes d'un autre monde.

Coup d'œil sur ma montre. Huit heures trente ! Carmen n'arrive toujours pas. Je sens mon œil se faire suppliant. Oreilles aux aguets. Ça y est ! ! ! L'assiette arrive. Une plâtrée de riz blanc bouilli avec trois tranches de tomate crue en déco... Pas de sel, pas de graisse. Miam, miam et super-miam. Quand même. Jamais mangé aussi vite. Manquent juste la carte des desserts et un café bien serré. Bon. Mon dernier repas jusqu'à demain matin. Je n'ai plus qu'à dormir. Voilà. Et à penser. Mais seulement s'il me reste assez d'énergie.

Nourriture de l'esprit : Comment devient-on chaman ? Francisco à la barre :

— Toute personne voulant devenir chaman doit suivre la discipline requise, soit isolement, diète à base de plantes, apprentissage des *icaros*, prise de plantes hallucinogènes...

Le chaman ne peut soigner qu'en entrant en contact avec le monde des esprits. C'est en effet ce monde des esprits qui va expliquer au chaman comment guérir son patient. Mais pour entrer en contact avec ce monde, le chaman doit prendre des plantes hallucinogènes, plantes qui sont destinées à lui procurer les visions au travers desquelles les esprits vont lui expliquer comment soigner son patient.

Les plantes hallucinogènes les plus utilisées dans cette partie de l'Amazonie sont l'ayahuasca et le tabac. Du tabac pur, pas celui qu'on trouve dans nos cigarettes. Les deux plantes sont préparées en potion afin d'être bues.

Pour affiner son interprétation des visions, pour apprendre à soigner, l'apprenti chaman doit également recevoir la connaissance de certaines plantes, dites « plantes maîtresses », représentées par quelques centaines de plantes, dont la liste est établie et seulement connue des maîtres chamans. L'apprenti doit donc apprendre à les reconnaître, apprendre à leur parler en étudiant leurs chants et apprendre à les « diéter ».

Diéter veut dire boire la préparation à base de la plante au début d'une période de diète qui va de cinq jours à quatre ans. Cette durée dépend de la plante et de la masse de connaissances qu'elle a à transmettre. Comme les plantes se diètent les unes après les autres selon des ordres précis indiqués par le maître, il faut compter environ quinze années de diète à un chaman pour terminer son apprentissage.

Après ça, ayant acquis la connaissance de l'ensemble des plantes et des arbres « maîtres », il pourra consacrer sa vie à soigner.

La majorité des chamans ne travaillent en général qu'avec les esprits d'un seul des trois mondes, celui de l'eau, de la terre ou de l'air. Les chamans les plus puissants travaillent avec les esprits des trois mondes. On les appelle des *Bancos*.

Extérieur : Jour. Jungle bathroom au soleil de midi.
Intérieur (de moi) : Purification.

Mooglinette, la jeune fille de la jungle, était nue sur le bord de la rivière. Elle chantonnait, d'une voix cristalline mais chaude, un air aux accents tristes et pénétrants qui rythmait le mouvement de l'eau trouble et boueuse qu'elle versait d'une jarre sûre, sur sa peau limpide et froide. Elle ne mouillerait pas sa tête.

Francisco m'a envoyée en mission. Je dois laver mon corps et l'exposer aux rayons du soleil pour en emmagasiner l'énergie. Yes. Because ce soir c'est fête à l'ayahuasca et que j'aurai besoin de toute cette énergie pour en supporter l'irréparable outrage. Bref, Mooglinette s'allonge sur le banc le plus exposé au soleil. Pas de moustiques. J'en suis fort aise. Trois piqûres seulement depuis mon arrivée. Soit trois chances d'être malaria-positive. Deux papillons jaune citron mûr viennent butiner mon pied droit, qui craint les chatouilles. Commencerais-je à sentir la purifiée ?

Fait hyper-chaud. Pile, face, pile, face, et je retombe sur mes pieds. Brûlant ce soleil. Dans un mois, à ce rythme je vais être noire. Pour une fois.

Me reste à tenter le lavage en rivière de mon linge. Sale. Une chemise, un pantalon, une culotte, des chaussettes. Hop, tout ce petit monde dans l'eau glauque et vaseuse d'un ruisseau plein de bêtes. Frotte, frotte, ma jument. Sans savon, pour préserver le pH de l'eau. Pratique. Mais toujours un peu plus propre qu'avant. Quoique. Marron terre. Je me demande dans quel état je vais reprendre l'avion de la douce civilisation.

J'essore. Sur quoi vais-je bien pouvoir étendre tout ce petit monde ? Je vais rôder aux alentours. Sans m'enfoncer trop profondément dans la jungle. Non je n'ai pas peur ! Mais ce n'est pas parce que mes premières poupées ont été de vrais bébés panthères qu'aujourd'hui je dois faire fi du mantra de l'extrême que mon élevage dans la brousse m'a justement enseigné. À savoir que *douce prudence et humilité sont les mamelles de la survie...*

Je finis par trouver une liane genre *corde* à linge. Je peux dire le mot, je ne suis pas sur un bateau. Fierté d'un Robinson qui détourne les pièges de mère nature. J'installe ce truc entre deux arbustes qui ont la gentillesse de me prêter leurs tiges robustes. Regard satisfait sur le produit de mon ingéniosité.

Extérieur : Toujours jour.
Intérieur (de moi) : Alarme.

Mon corps affamé sécrète de petites décharges

de plaisir à l'idée qu'il va MANGER. Mais mon ventre a des raisons que ma raison a le devoir d'ignorer. Déception endorphinale. Atroce. « Pas aujourd'hui ! » lui répond mon cerveau hypoglycémique. Plein de petites décharges de ce genre pendant la journée.

Y a un gros cafard par terre. Au moins quatre centimètres de long sur deux de large. Il disparaît sous le plancher. Il a dû ressentir mes vibrations meurtrières. Tant mieux pour moi, je n'aurais pas eu le courage de l'écraser. Pas à cause de ma belle âme. Juste à cause du bruit que ça aurait fait.

Suis fatiguée. Y a même pas quelqu'un pour admirer ma force mentale. Ça sert à rien d'être héroïque quand personne ne vous regarde. Je suis pourtant sur une scène. Quel gâchis. Un tel talent. Bon.

Tout est humide : le papier du cahier dans lequel tu t'épanches, ô ma douleur, le drap, les vêtements...

Tombe la nuit. J'installe les bougies. Au garde-à-vous. Petits soldats de feu. Cérémonie à vingt heures trente. Francisco viendra me chercher. Pouvait pas me faire plus plaisir. Il m'a demandé comment je faisais pour consommer autant de bougies... Regard étonné de la buse qui ne veut pas donner la moindre réponse. « Beaucoup de bougies ? ? ? » Il n'a pas insisté, mais première alerte. Je vais devoir réduire l'éclairage Grand Siècle de ma scène.

J'enregistre pour la BBC. Je dois recommencer et recommencer. Parce que je bafouille. Voilà. Et je m'énerve, petit pantin sur scène, contre ma langue hypoglycémique ! Ça sent l'humus. Mmmmm, des champignons sautés...

Extérieur : Nuit.
Intérieur (de moi) : La vierge avant le sacrifice.

La vierge pense. En rond.

Premier rond : « Si dégueuler tripes et boyaux, en ayant la chiasse, est un nettoyage de mon corps, alors allons-z'y... »

Second rond : « Après, ça ira mieux, après la pluie, le beau temps, le soleil et la mer... »

Rond rond : « Tu sais, c'est la seule façon d'arriver à extirper ton son, ton icaro, de ce corps bouché par les épreuves... »

D'ailleurs Francisco m'a dit que si la plante enseignait les icaros, c'étaient les icaros qui allaient m'enseigner comment guérir ou me guérir. Bon d'accord. Ésotérique ?

Comment je fais pour m'échapper maintenant. Faut vraiment être idiote pour avaler un truc pareil.

J'ai ressenti ta présence tout à l'heure, quand j'étais dans le hamac. Très physique. Très fort. Pendant une heure. Peut-être. Et puis ma trouille a déferlé. Là je guette, oreilles pointues, le moindre son de pas de Francisco. Qui doit venir me chercher.

Extérieur : Nuit. Hutte de cérémonie. 20 h 30.
Intérieur (de moi) : Ne se raconte pas.

Je passe de la jungle à la hutte de cérémonie. Juste un toit de feuilles comme transition. Espace magique. Carré de forêt. La nuit est éclairée par la lune. Bleue. Peuplée d'appels. Auxquels je ne sais pas répondre. Toujours aussi bruyant. Mais grandiose. Presque à la mesure de ma trouille. Qui dégouline de mon cerveau à l'idée d'avaler la potion magique.

Je suis seule à en prendre ce soir, avec Francisco et Ruperto qui vont utiliser ses effets hallucinogènes pour me soigner. Moi. Que moi. Remontée du moral.

Francisco me demande de m'asseoir sur le banc à droite de la table des chamans. Il y a deux bougies collées sur cette table. Petites sources de chaleur. Calmante. J'installe le micro sur son grand pied, direction la table, sorte d'autel derrière lequel Francisco et Ruperto ont pris place. C'est de là que Ruperto va chanter. Pour l'instant il siffle, il souffle, il « charge » l'ayahuasca. Il lui parle très doucement aussi. De sa voix grave. L'espace se rythme. C'est ce rythme qui va guider ma conscience, ou au moins l'ancrer à ce monde. Bizarre impression. Impression de nécessaire. Je ne sais pas pourquoi, mais c'est rassurant de l'entendre faire tous ces bruits.

Angle d'enregistrement réglé à cent vingt degrés. Je veux aussi les bruits de la nuit. Je n'ai que quatre-vingts minutes de durée d'enregistrement. La cérémonie a une durée de trois à six heures. Je rougne. Petite soupape.

Francisco vient vers moi. Il m'explique dans quelle position et où je dois vomir. Bon. Il suffit de me mettre à genoux sur mon banc et de vomir par-dessus le dossier de planches. Very simple. Quant à la diarrhée, si diarrhée il y a, je dois l'appeler pour qu'il m'accompagne dans la jungle. Pas de chiottes, of course.

Francisco retourne à sa place, derrière l'autel, et commence à agiter la bouteille contenant l'ayahuasca. Bouteille en plastique. Il verse la potion dans une coupelle en bois, demi-sphérique, une graine évidée, une grosse graine, de la taille d'une mandarine.

Il me demande d'approcher. Je me lève. Un peu automatique. On dirait que mes pieds marchent tout seuls. Le sol est de la terre. La terre de la jungle. C'est pas régulier. Mais c'est doux. Francisco me tend la coupelle. Je la prends. Toujours déguisée en automate. Elle est très légère. Je bois d'un trait. Liquide un peu épais. Goût affreux. Très très amer. Peut-être un peu le goût de l'odeur du bitume chaud. Le contenu de la coupelle est l'équivalent d'un bon demi-verre d'eau. Je ne fais même pas la grimace.

Au moment où j'ai fini de boire, je sens mon rythme cardiaque accélérer d'un coup. 1 000 bpm. Puis se calmer. Lui. Pas moi. Je retourne m'asseoir. J'attends, ô temps, reprends ton vol, j'attends les signaux d'alarme. D'un poison que je viens d'avaler. C'est tout bloqué à l'horizon de mes entrailles. Peut-être que ça ne me fera rien. J'attends. Francisco vient d'éteindre les bougies.

Ruperto se met à chanter. Dans la nuit vivante. C'est très beau. 30 bpm soudain. Sérénité. Toujours ça de pris. Même si la potion n'a aucun effet. En tout cas je n'ai pas mal au cœur. Ça m'arrangerait bien si ça ne marchait pas. Je crois que je résiste. Ça chauffe ! Ça chauffe dans mes veines ! ! ! 600 bpm. Inquiétant ? Non. Tout va bien. Très doux finalement. La chaleur se concentre sur mon oreille gauche. Celle qui a été malade l'hiver dernier et de laquelle je n'entendais toujours pas bien. Bizarre. La chaleur pousse, pénètre le « froid », que je ressentais à cet endroit. Réveille chaque parcelle. L'énergie circule de nouveau. La vie revient. Impression intime que la plainte me guérit. Même sensation dans l'estomac maintenant. Autre endroit qui me fait souffrir, depuis ta mort.

Petit à petit la chaleur avance dans mes veines. Volatilise les « froids », dont je prends conscience. Arrive aux mains. Qui picotent. Et qui deviennent lourdes, mais très souples. Envie de jouer avec cette nouvelle sensation. Je secoue les poignets. Ça me fait rire. La chaleur s'échappe du bout de mes doigts. Fait voler mes mains. Je joue avec elles. Toujours pas malade.

Surprise. Ma conscience embrasse la forêt. Plus de barrières tout d'un coup. Je la comprends, je suis la forêt, je la ressens. Très court, mais révélation d'une dimension, d'une sensation. Je flotte. Je me promène dans mes yeux. Fermés. Ma bouche s'ouvre. Impression que je vais m'envoler.

Une lumière douce émane du bas. De la gauche. Sous mon menton. Pourtant il fait nuit. Je ne peux pas la regarder. Je la ressens. Elle disparaît. Nuit. Je vois une bulle. Je suis à l'extérieur. Tu es à l'intérieur ! Tu me regardes. La bulle est gélatineuse. Grosse méduse. Un petit trou se fait. Un passage. Je vais pouvoir te rejoindre. Je vais te toucher...

Le bout incandescent d'une cigarette attire mon œil. Très désagréable. Je suis en colère. Mauvaise vibration. Envie de vomir. Je dois enfermer cette vibration dans la bulle. M'en débarrasser. Ça marche. Comme c'est facile d'éliminer une mauvaise vibration.

Ruperto chante. Ancre solide. Je me sens protégée. J'ouvre les yeux. Vision comme au travers d'une source de chaleur. Ça tremblote. La lune éclaire la forêt. Les masses noires des arbres sont comme des sculptures qui soutiennent le ciel. Charpente ancrée dans le sol. Ils nous regardent. Je reçois leur énergie. Je les respire à fond. Ouverture.

Oh ! Un rond de lumière de lune sur ma main. Je le fais passer d'une main à l'autre, je le fais monter sur mon avant-bras, je le fais sauter sur le dos de ma main. Où est-il ? Il a rejoint la lune.

Interrogation. Pas écrite. C'est finalement très doux l'effet de l'ayahuasca. Qu'est-ce qu'ils m'ont raconté, tous ces sadiques ? J'ai même pas vomi !

Francisco s'approche de moi. Il me demande de fumer un mapatcho. Beuuuurk. Je ne fume pas. Pourquoi il me demande ça ? Obligée, ma vieille !

Paraît que je résiste. Ça fait deux heures au moins que j'aurais dû décoller. Ah ? Parce que ce que j'ai ressenti jusqu'à présent, c'était quoi ? C'était rien ! Juste ta trouille qui bloquait l'effet de l'ayahuasca. Ah ? Et alors ? Alors fume. Tu dois lâcher les chevaux. Arrêter de contrôler. Merde. C'est pas fini ? Cigarette entre les lèvres. Aspiration. J'avalerai pas la fumée. Voilà.

J'ai mal au cœur maintenant. M'éneeeerve ! Francisco s'installe à ma droite. Position de tuteur. 600 bpm. Je sens qu'il va se passer quelque chose, me dit ma puce. À l'oreille. 800 bpm. Ruperto s'installe à ma gauche. 900 bpm. Alors là, je suis bonne. Je veux pas y aller ! 1 000 bpm. Putain. Qu'est-ce qui va m'arriver ? Ruperto chante. 1 100 bpm. Aiguille dans le rouge. Sa musique entre en moi. Sournoise. M'embarque. Je vais lâcher. Nooooon...

Décollage, ma chérie. Baisse les oreilles ! Ça commence comme un tremblement de tripes qui s'étend, qui s'étend. Qui circule partout comme une énergie incroyable. Une énergie de la terre. Ondes serrées, en relief, je pourrais les palper. Mes doigts diffusent cette énergie. Elle peut sortir de ma peau. Je vois des serpents. Des milliers de serpents qui s'échappent de mon corps. Début de panique. Mais non ! Ils sont gentils. Ils se transforment en branches sur lesquelles poussent des feuilles. Qui grandissent. Qui s'épanouissent. Dans mon corps. C'est toi, ayahuasca. Je le sais. Tu prends possession de moi. Tu pousses en repoussant mes limites. Tu les anéantis. Je souffle. Seul geste que puisse faire ma bouche.

Francisco prend ma main. La caresse. 500 bpm. Il appuie sur le haut de ma poitrine, sur ma tête. Remise en contact avec la terre. Fil à la vie. L'icaro dirige ma conscience. L'oblige à se laisser devenir. À accepter l'entrée dans cette autre dimension.

Les ondes se concentrent sur mon estomac. Comme des griffes, qui voudraient arracher, extirper ce quelque chose, cet otage que j'y ai laissé traîner. C'est là qu'est ma douleur. Je dois te vomir. Viens, sors de là. Aussi violemment que je te ressens. Les griffes s'accrochent. Rapace. Me mettent à genoux sur le banc. Je suis à l'intérieur de moi. Dans cet estomac qui va jaillir. Respiration s'accélère. 900 bpm. Je me penche sur le dossier en bois. Douleur, tu jaillis dans la nuit. Tu rejoins la terre de la jungle. Ou ton royaume quelque part. Tu me libères de ton poids. Virtuel. Encre noire qui s'étend. Quatre spasmes de matière. Matière d'une pieuvre qui bloquait ma vie. Stop.

Caaaalme. Je suis à genoux. Toujours. Je voudrais prier. Mes yeux fermés regardent le ciel. Joie, tu remplaces l'espace vidé. Respirer. Ouvrir les ailes. 50 bpm. Je suis bien. Je vois des spirales, composées de milliards de petits losanges bleus, jaunes, rouges. Je vois des étincelles. Je vois les plumeaux blancs d'un feu d'artifice. Incroyable spectacle.

Rire. Envie de rire. De la vie. D'une illusion. Qu'est la douleur. Aucune douleur. Plus aucune sensation physique. À genoux, sur ce banc en bois.

Je suis hors du temps. Hors de la souffrance. C'était donc ça la solution. On est si bien dans cette dimension.

Un personnage apparaît. Blanc. Sur fond noir. Comme un dessin sur fond de nuit. Manteau de plumes. Bienveillant. Ruperto chante. Sans shacapa. Pur. Sa voix traduit les énergies de la nuit. Colimaçon qui s'enroule et se love dans les recoins de l'univers...

Je ne veux plus respirer. Voilà. Plus besoin. Trop bien sans corps. Je suis sur les berges de la mort. Enfin. Je vais te rejoindre. Si facile. Tant essayé. Même pas mal de ne pas respirer. J'attends. Je flotte. Dans cette dimension sans courants d'air. C'est peut-être ça, l'instant entre deux pensées. Instant. Je suis enfin dans l'instant. C'est là que je te retrouve. Cœur ouvert. Plus d'abonnée à la raison. Sourire avec toi. Jouer avec toi. Continuer ? Rester avec toi. Même pas mal de ne pas respirer. Où es-tu ? Dis-moi quelle direction choisir. Le colimaçon accroche mon oreille. Musique. C'est toi qui me montres le chemin. De la vie. Effort. Respirer. De nouveau. Je choisis de vivre. Avoir le choix. C'était ça. Depuis ta mort je n'avais pas eu le choix. J'étais prisonnière de la vie. Je n'avais pu que subir son injustice. Ayahuasca ! en me plongeant dans l'instant où je pouvais retrouver l'énergie de son âme, tu m'as fait découvrir que je voulais vivre...

J'ouvre les yeux. Flammèches de couleur dans la forêt bleue de la lune. L'air tremble. Je reçois l'énergie de la forêt avec mon cœur. Inspiration.

Je la diffuse avec mes mains. Le bout de mes doigts picote. Chaleur. Je touche une sphère. Invisible. Boule d'énergie ? Je l'entoure de mes bras et de mes mains. J'en dessine le contour. Je la caresse. C'est toi ? C'est ton énergie ! Rire. Je joue avec toi.

Cassure. Les bruits de la nuit se déversent dans mes oreilles. Je réalise que Ruperto ne chante plus. Francisco se lève. La cérémonie est terminée.

Il me demande si je peux marcher. Je me lève. Tangue un peu. Tout va bien. Tiens, où en est l'enregistrement ? Quatre-vingts minutes sur cinq heures. Juste un peu d'éternité à écouter.

Nous rentrons. La lumière de la lune traverse les arbres. Comme une caresse. Un animal fait « toc, toc, toc, toc ». Rythme lent. Un gros oiseau, me dit Francisco. On dirait qu'il frappe à une porte. La porte c'est un arbre. Sur quelle dimension s'ouvre-t-il ? Bruit rond et profond. J'adore. Tous les grillons font comme des clochettes. Un truc fait « creu, creu, creu, creu, creu ». Je n'ai jamais entendu tout ça. Jamais ressenti ça. Je suis dans une sorte de grâce légère et profonde. Équilibre parfait.

Arrivée à ma hutte. Francisco me demande si tout va bien. Yes. Il me dit que lui et Rupé m'ont vue « *muy claro* », pendant la cérémonie. Pour ça que j'ai été très peu malade. Rupé a même dit que j'étais un ange...

Paraît que je suis restée trois heures à genoux sur ce banc en bois. Sans bouger. Corps vide qui n'a plus ressenti la moindre douleur...

Alors c'est possible ? D'échapper à la douleur. Possible. D'échapper à la vie. Juste un petit tour. Pour la voir comme une illusion. Et décider qu'elle sera belle. Je m'endors. Même pas allumé les bougies. Même pas peur.

Lundi 16 octobre

Extérieur : Jour. Le lever de la reine.
Intérieur : Fier et faible.

Je me réveille, encore un peu « ivre ». Mais légère. Vraiment légère. Plus éprouvé ça depuis... Je bâille. Six heures du mat. Tôt. Trop tôt. Surtout pour une folle qui a passé la nuit à se promener hors du temps. Je ris. Tu étais avec moi. J'ai ressenti ton quelque chose. Comment expliquer ça ? Cette énergie qui reste de toi ? Cette vibration que tu dégageais. Que chacun de nous dégage. Bizarre. Excitant. Enthousiasmant. Je voudrais voler. Sur ma scène. Albatros au décollage.

Extérieur : Jour. Hutte-cantine. 8 heures.

Après s'être écrasé dans le public, l'albatros a enregistré pour la BBC, l'albatros a lavé ses plumes meurtries dans la rivière. Froide. L'albatros n'a pas eu de diarrhée post-ayahuasca. L'albatros est very proud.

J'arrive à la hutte-cantine. Bettina et Joan sont là. Elles voient à ma tête dans les nuages, que ça s'est bien passé hier soir. Je ne fais aucune allusion à ma résistance intensive. Cent soixante minutes, m'a dit Francisco ! Quand on sait que le temps « normal » d'apparition des effets se situe entre vingt et quarante minutes... Un vrai record. Je savais bien que ma trouille pouvait me faire faire de grandes choses ! La cigarette était destinée à accélérer le processus. Et le chant de Ruperto aussi. Ça, j'avais remarqué. Irrésistible, merci.

Bon. Eh bien là j'ai le ventre qui fait des bulles de rien et les crocs qui brillent. Fruits autorisés. Bof. Et pas avant dix heures du mat ! École de la patience. M'énerve, là. Ils seront bien avancés quand je serai tombée. Toute blanche. De la couleur du grand vide intérieur. En plus ça me fait pondre de mauvaises pensées. J'avoue. « Mais tu n'as qu'à les mettre dans la bulle et jeter la bulle, puisque maintenant tu sais faire ça », me hululé-je, « Gnagnagnagnagna », me réponds-je. Fin du monologue.

Je parle des serpents à Francisco. Ceux dont j'ai eu la vision hier. Il sourit. Il me dit que le serpent est le symbole de l'ayahuasca. Les avoir vus sortir de mon corps et se transformer en branches veut dire que l'esprit de l'ayahuasca est entré en contact avec moi et qu'il a accepté le processus de guérison. Il ajoute que c'est toujours sous cette forme que l'esprit de la plante apparaît. Surprise.

Silence. Pensée profonde. Si cette vision est commune à plusieurs personnes, c'est peut-être qu'elle est une réalité. Quel est cet esprit-serpent qui entre en contact avec nous ? Je commence à comprendre pourquoi, partout à Sachamama, on peut lire des petits panneaux qui serinent : « Une vision est une réalité. »

Faut travailler en plus. Cours sur le *Mariri*. Moi je ris pas. Bon. Alors commençons par le début. Un malade vient voir le chaman. Le chaman doit organiser une séance d'ayahuasca pour entrer en contact avec l'esprit qui fait souffrir le malade. Une fois le contact établi, le chaman doit « aspirer » le mal du corps du patient. Pour ça il a une arme : le Mariri. Ce Mariri est l'esprit qui, au travers du chaman, va aspirer le mal du patient. Il est représenté comme une langue de feu, qui sort de la bouche du chaman et sur laquelle va venir se coller le mal du patient. C'est donc grâce à ce Mariri que le chaman peut aspirer le mal, sans craindre de le voir « pénétrer » en lui. Un peu comme un aspirateur à miasmes. Que le chaman doit donc obligatoirement posséder. C'est le maître qui apprend à son élève la technique d'aspiration du mal.

Comment un chaman peut-il obtenir ce Mariri ? Grâce aux plantes maîtresses qu'il va « diéter » et qui, s'il le demande, vont faire don d'un Mariri à l'apprenti chaman.

La formule magique pour demander un Mariri ? Elle se prononce dans le langage des plantes, que sont les icaros.

Un étudiant particulièrement doué peut obtenir un Mariri en trois mois. Il doit pour cela faire une diète spéciale, tout en demandant à la plante de bien vouloir lui donner ce Mariri. Puis s'en remettre à son maître, qui va également demander à la plante de bien vouloir donner un Mariri à son élève.

Si la plante accepte, elle appelle l'esprit d'un Mariri et le transmet à l'apprenti chaman par l'intermédiaire des rêves. L'apprenti va alors rêver que la plante lui offre le choix entre quatre Mariris, sous forme de quatre flammes, de quatre couleurs différentes : blanc, vert, rouge ou noir. Il n'a plus qu'à choisir celui qu'il fera sien. S'il choisit le blanc ou le vert, c'est qu'il est décidé à soigner, à faire du bien. S'il choisit le rouge ou le noir, c'est qu'il est décidé à faire du mal, de la magie noire. Il deviendra un *black shaman*.

Une fois ce choix fait, le Mariri entre dans le corps du chaman. Au début il est petit, il n'a pas un grand pouvoir, il est alors comme un « bébé » qu'il va falloir nourrir et entretenir pour le rendre fort et puissant. Sa nourriture sera le tabac, que le chaman va fumer ou boire en potion. Sa nourriture sera également le parfum, dont le chaman va se servir pour l'honorer.

Les disciplines de diète et d'isolement sont destinées à faire en sorte que le chaman reste « en contact » permanent avec son Mariri. S'il ne suit pas la discipline requise, s'il boit de l'alcool par exemple, et qu'il perd le contrôle de sa raison, le chaman va perdre son Mariri. Lors de vomissements sans fin. Le Mariri pourra alors se retourner contre lui et le tuer.

Assiette arrive. Pleine de couleur orange. Morceaux de mangues et d'oranges. Slurpppps. Miaaaaaam. Fini ! Bettina et Joan n'en croient pas leurs yeux. Ben ouais, j'avais faim.

Extérieur : Jour. Jungle bathroom. 11 heures.
Intérieur (de moi) : Truie à l'argile.

Francisco est venu me tirer de mon hamac pour me faire subir une « boue-thérapie ». Un vrai quatre-étoiles ici. J'ai même un programme de thalasso ! Bref. Je me retrouve nue sur la berge de la rivière de la jungle à me faire tartiner de boue parfumée. Fait soleil. By chance.

Même genre de rituel que pour le « bain de fleurs ». Francisco parfume la boue, dont il a rempli une petite jarre en terre, avec le parfum de l'autre jour. Il allume un mapatcho, souffle de la fumée de tabac sur la boue pour lui donner son pouvoir purificateur, sa force magique, chante un icaros et hop, la jolie boue pastissée sur la pauvre Mooglinette. Ça sent super-bon. Je suis bien. Mais la suite des événements va malheureusement gâcher ce plaisir si sagement enduré...

Francisco me dit en effet que je dois sécher, qu'il reviendra dans une heure ! « Mmmmmm ? ? ? », ai-je juste le temps de borborygmer, ne pouvant desserrer mes lèvres non épargnées par la boue. Trop tard. Il est parti. Il me plante là, debout – les bras en croix – habillée de boue !

Fait chaud. Dans une heure, à cette température y aura plus qu'à casser la coque d'argile autour de moi pour consommer ma tendre chair au délicieux fumet. Et si une bête venait me renifler ? Je fais une belle proie comme ça. Remarque, dans quelques minutes toute cette boue molle aura durci et c'est vrai que les bêtes ne mangent pas trop les sculptures. Pas de risque de moustiques non plus. Hé, hé. Vont s'enliser la trompe à vouloir me boire le sang. J'ai mal aux bras. Quand ce sera sec au moins ça tiendra tout seul. Ça commence à tirer sur la figure. Un vrai lifting. Une heure. Putain. À me faire sucer la peau par de la boue. Peux même pas rire. Ça craquelle et ça tire le doux duvet de ma figure. Bon. Me reste plus qu'à arrêter le flot des pensées. Pour m'échapper dans l'instant. Là au moins je sais que je peux te retrouver.

Extérieur : Jour. Une heure plus tard...
Intérieur (de la coque d'argile) : Cuit à point.

« La statue était vivante », diront les journaux. J'entends du bruit. Début de panique à l'intérieur de ma coque. Peux même pas tourner la tête. C'est Francisco ! Ouf. Il rit. J'imagine que c'est à cause de mes yeux ronds affolés qui tournent dans leurs orbites d'argile marron. Arrosage copieux de la statue. Mes pores lyophilisés aspirent avec délices l'eau salvatrice. Frottage purificateur de la peau. Toute rouge la peau. Parfumage et hop, habillage et hop, lunch. Riz bouilli, patate bouillie, betterave bouillie, carotte bouillie, moral bouilli. Tout ça au singulier. Je déteste le singulier.

Extérieur : Nuit. Ma scène au clair de bougie. Intérieur (de moi) : De dos. Assise à la table.

J'écris le journal de mes malheurs. En écrivant la date je pense à la date de ta mort, un 28 mai. L'autre jour j'ai regardé ce que tu avais écrit dans ton journal à chaque 28 mai. Rien. Il ne s'est jamais rien passé le 28 mai dans ta vie. La seule action mentionnée se passe le 28 mai 1972 : « J'ai fumé trois cigarettes. » Tu ne savais pas que ce serait le jour de ta mort. Je me demande quel sera le mien dans ce journal. Il est forcément là. Sous mes yeux...

Il y a une feuille d'arbre avec des pattes qui se promène sur ma table de travail ! Position d'arrêt. J'observe. C'est un genre de sauterelle dont le corps est exactement comme une feuille d'arbre ! Une feuille verte avec des nervures et des points blancs. Environ dix centimètres de long, la bestiasse. Incroyable. Je la prends en photo. En voilà une autre qui arrive ! Même couleur. Plus petite. Elle veut monter sur la grosse. Faut plus se gêner !

Il y a aussi une chauve-souris dans le toit. Elle m'a fait peur en poussant des petits cris aigus. Tiens, un truc est tombé par terre. Je vais voir. C'est une crotte de la chauve-souris ! Taille d'une crotte de souris. Noir avec des traces blanches. Me demande comment elle fait pour crotter la tête en bas...

Bref, au théâtre ce soir nous vous interprétons *Blanche-Neige et les sept bêtes*. C'est moi Blanche-Neige. Même plus peur.

Mercredi 18 octobre

Extérieur : Jour. Jungle. 6 heures du mat.
Intérieur (de moi) : Faim.
Extérieur (de moi) : Cherche des racines.

Francisco m'a annoncé que j'allais devoir fumer. Beuuuuurk. Eh oui, m'a-t-il expliqué, il faut que je nourrisse les esprits des plantes que je vais diéter ! Bon. Mais il est hors de question de fumer les cigarettes d'ici. Le tabac à la rigueur, parce qu'il est pur et non trafiqué, mais pas le papier d'imprimante dans lequel il est roulé ! Francisco me propose alors de fumer la pipe. Ben voilà. Simple. Mais pas si simple. Parce que qui va devoir fabriquer sa pipe ? Oui, la fabriquer de ses douces mains ? C'est moâ ! Faut vraiment tout faire ici...

Nous voilà donc, Francisco et moi, dans la jungle, tels deux petits cochons en train de dégoter une racine. Mais pas n'importe laquelle ! Il faut une racine de palissandre. Jamais vu cet arbre en vrai. Seulement les meubles qu'on en a fait.

Heureusement que Francisco se dirige dans

cette jungle comme moi dans les rayons d'un supermarché. Il se poste soudain devant un géant palissandre. Hyper-droit, rouge foncé. Je suis émue. Vrai ! Un autre palissandre a été abattu, pas loin de celui-là, pour faire les charpentes de l'école de Francisco. Plein de gros copeaux de bois forment un tapis rouge tout autour de l'arbre. Rouge, épais et odorant. Odeur d'une saumure d'olive, poivrée et humide sur laquelle je n'ose pas marcher. C'est très beau.

Francisco se met à genoux. Il fouille un peu le sol de copeaux rouges pour mettre au jour une des racines de l'arbre. Une en surface. Puis il coupe un morceau de racine avec sa machette. Lame d'au moins cinquante centimètres de long. Ça a l'air hyper-dur de manier ça avec précision. Aussi dur que le bois de palissandre. Ça promet pour ma pipe. Imputrescible.

Tout en taillant un cylindre dans le morceau de racine, Francisco m'explique que l'écorce de palissandre macérée dans de l'alcool de canne peut soulager les douleurs rhumatismales. Je regarde la machette. Elle devient le prolongement de son bras. En trois minutes le cylindre est transformé en un tout petit cône de cinq centimètres de hauteur. J'admire. Geste léger. Précis. Lame vole. La perfection ça paraît toujours facile. Voilà ma future pipe ! Plus qu'à creuser le foyer. Avec mon petit couteau suisse.

Extérieur : Nuit. Cabane aux chandelles.

Intérieur (de moi) : Blanche-Neige. Scène 2.

Y a encore une bête posée sur mon bureau ! C'est la première fois que j'en vois une comme ça. Forme ovale, dont un bout serait plutôt carré. Du côté des yeux. Je les découvre. Deux bâtonnets vert fluo qui brillent dans la nuit ! Mais alors c'est une luciole ? Et ce sont les YEUX qui brillent comme ça ! Moi qui croyais que c'était son croupion ! Oui, j'ai pensé *sexe à pile*. Et tout cas je me félicite d'une découverte capitale. Je la regarde pendant une heure, au moins. Elle ne bouge pas. Je suis émue. C'est grave ?

Jeudi 19 octobre

Extérieur : Nuit. Hutte de cérémonie.
Intérieur (de moi) : Exploratrice de conscience.

Je n'ai rien mangé que mon riz blanc sec depuis ce matin. Mauvaise haleine pourtant. Ça doit être comme ça, l'odeur des boyaux. Ou alors c'est la trouille.

Arrivée à la hutte de cérémonie pour ma deuxième expérience d'ayahuasca. Je suis seule encore à en prendre. Paraît que c'est jamais deux fois la même chose, m'ont dit mes copines...

Pour cette fois, la vierge s'est déshabillée en exploratrice. Oui. Le film de ce soir c'est *Indiana*

Janes à la recherche de... Je ne sais pas encore de quoi, mais ça m'inquiète beaucoup d'aller fouiller là-dedans. Un peu moins la trouille, quand même.

J'ai installé mon matériel. J'essaierai de n'appuyer sur le bouton d'enregistrement qu'au moment où le scoop voudra bien me sourire. Bon. Ça y est. Francisco m'appelle. J'arrive. Il me tend la coupe. « *Salute maestro* », dois-je lui dire. Je me souviens du goût. 300 bpm. Va falloir avaler ce truc affreux. Je respire fort. « Bat, bat », fait mon cœur. Visage silencieux. Lui. On a sa fierté tout de même. Voilà c'est fini.

Au tour de Francisco et Ruperto, qui regrettent d'être chamans chaque fois qu'ils doivent avaler cette horreur. Ils font tous les deux la même grimace. Ça me fait rire.

Hop, à ma place. Ils éteignent les bougies. Noir. Très peu de lune, ce soir. L'effet vient très vite. Genre une demi-heure après l'absorption du breuvage. C'est peut-être déjà un effet de la diète ? Ou alors c'est que j'ai vraiment moins la trouille. En tout cas pas de résistance à l'horizon. L'énergie qui tremble arrive. Moins fort que la première fois. Je vomis très vite.

Arrivée des serpents maintenant. Salut, ayahuasca ! Merci de bien vouloir accepter de t'occuper de moi. Je sais que ce soir tu vas aller fouiller plus profondément dans mes entrailles. Je te sens travailler. Chercher. Cette douleur que je ne veux peut-être pas te donner...

Je vois les losanges bleus, rouges, jaunes, comme si je voyais les plus petites particules de la matière. Le vide autour. Beaucoup de vide et peu de matière. Comme des filets dont les mailles seraient très écartées. Moustiquaire irisée, mouvante comme une mer. Tout est relié.

J'ai mal au cœur. Peux plus vomir. Pas assez d'énergie. Ruperto a dû le ressentir. Il s'approche de moi. Il souffle sur ma tête, ma poitrine, mon dos, chante, rythme l'espace avec sa shacapa, de plus en plus fort, il me donne son énergie, il est dans mon énergie, il la dirige, je sens les griffes autour de mon estomac, il m'oblige à vomir, je le sais, je le ressens. Ça y est. Une force prodigieuse m'y a contrainte. Sans effort. C'est sorti tout seul. Comme si une source coulait de l'intérieur de moi vers l'extérieur. Quelque chose de très profond, de très lointain. Maintenant je sais que c'est fini. Je me retrouve à genoux sur mon banc. Francisco me demande de me rasseoir. Ruperto retourne chanter près de la table des chamans.

Fait un peu froid. Le tonnerre gronde. Énergie énorme. Inspiration. Mes oreilles s'ouvrent. Les oiseaux répondent au chant de Ruperto. Sublime. Je regarde dans sa direction. Il fait trop nuit pour l'apercevoir, mais je vois un truc incroyable. Je ferme les yeux. Je secoue la tête. Comment ai-je pu voir ce que j'ai vu ? Je rouvre les yeux. Grand. Toujours la même vision. Je VOIS le son s'échapper de la bouche de Ruperto ! Je vois les vibrations sonores ! Comme des vagues de losanges jaunes, bleus, rouges, qui s'étendent aux arbres, au ciel, à moi... Tombée de la mâchoire inférieure. Je suis en train de « voir » le concept de médecine chinoise qui dit qu'un son est chargé d'une énergie nourricière qui se transmet à celui qui l'écoute...

Je ressens le besoin de chanter avec Ruperto. Incoercible. Puis de siffler. C'est pas moi qui décide. Je suis comme une flûte, un corps conducteur. Les énergies se servent de moi, je suis leur interprète, je les traduis en sons. Je siffle, je chante, mon pied droit se met à frapper le sol. Je rythme le silence. Lentement. Puis très vite. Siffle, souffle. Le son est l'énergie et mon diaphragme en bat la fréquence.

Je sens que les sons qui sortent de mon ventre sont ceux qui me guérissent. Ceux qui équilibrent mes énergies secrètes. Ils sont là. C'est étrange. Incroyablement bon. Je ris. Je ne sais pas d'où viennent ces sons. Peut-être ceux que la nuit a envie d'entendre. Peut-être ceux dont le silence a besoin pour être complet...

Je réalise soudain que si les énergies sont l'expression de la connaissance, alors les icaros pourraient être la traduction sonore de cette connaissance. C'est peut-être ça le sens caché de ce que m'a dit Francisco : « Si les plantes enseignent les icaros, les icaros enseignent comment soigner. » Il suffirait donc d'écouter les icaros, de les ressentir, pour apprendre. Et il suffirait de les chanter pour transmettre et enseigner cette connaissance. Grandiose.

Parce que j'imagine qu'un jour on pourra apprendre les maths juste en écoutant leur musique ! Sans effort. Reste à trouver quelle musique, quelle exacte vibration pourra traduire les formules qu'on veut transmettre. Cette musique devra avoir le pouvoir d'« éveiller », de faire réagir la zone du cerveau que l'on voudra éduquer. Il n'y aura plus d'erreur de traduction puisque la connaissance ainsi acquise ne sera pas des mots, mais l'idée qui émane des mots. En une fulgurance on aurait tout compris...

D'ailleurs ne transmet-on pas déjà des émotions par la musique, n'évoque-t-elle pas des images, des couleurs. Alors pourquoi pas des idées, des mots, juste pour embellir la vie !

Francisco me dit que la séance est terminée. Il était temps, mon cerveau commençait à bouillir. Nous allumons les lampes de poche. Je suis toujours soûle. Mais je peux quand même marcher. Il me raccompagne jusqu'à ma hutte. Ce soir il a vu que je pouvais être une « grande chamane ». Plein d'esprits sont venus me voir, m'entourer... C'est tout à fait ce qu'il fallait me dire pour ne PAS soigner ma trouille. Mais c'est peut-être pour ça que, depuis toute petite, j'imagine toujours plein de trucs invisibles autour de moi. Francisco me dit de me coucher rapidement. Parce que je vais probablement avoir d'autres visions. Allons bon...

Allongée dans mon hamac, je ferme les yeux. Cinéma en 3D ! Je vois un dragon, je vois des chullashakicaspis. Plein. Je les reconnais à leurs racines, comme des tentacules de pieuvre qui partent du tronc. Je vois des masques humains, d'abord inquiétants, qui se mettent à sourire, je vois une tête de félin, beige. J'ai mal au cœur. Impression que ce n'est pas moi. Plutôt la terre ou le lieu dans lequel je suis qui est malade. Je vois les vibrations colorées entrer dans mon ventre. Le mal au cœur disparaît. Je vois ton visage. Il semble souffrir. Un triangle apparaît sur ta tête. La pointe en bas. Un triangle transparent comme un cristal de roche. Très pur et irisé. Une énergie en sort, descend en toi sous la forme de ces vibrations colorées. L'image éclate en kaléidoscope. Je m'endors.

Vendredi 20 octobre

Extérieur : Jour. Jungle. 14 heures.

Francisco m'a dit ce matin qu'il était temps pour moi de diéter ma première plante.

Nous voilà partis à la recherche de l'*ajosacha*, la plante qui va m'enseigner les rêves. J'exulte. Je suis même prête à marcher pendant des heures ! Nous avançons dans le fouillis de la jungle. Pas longtemps. Francisco s'arrête soudain. J'arrive près de lui. « Voici l'ajosacha », me dit-il. Déception. C'est une petite plante chétive, de trente centimètres de hauteur, avec des feuilles vertes d'environ dix centimètres de long sur cinq de large et des points blancs dessus. Pourtant c'est cette plante qui va m'enseigner les rêves, ou plus exactement comment savoir interpréter les messages des plantes au travers des rêves.

C'est la première plante qu'un apprenti doit diéter. Normal puisque tous les messages des plantes vont lui être transmis par les rêves. Francisco chante un icaro à la plante, il lui demande l'autorisation de la couper. Puis il souffle du tabac sur elle et me demande de couper deux branches. Ça sent vraiment l'ail. D'ailleurs en anglais ça s'appelle *wild garlic*, ail sauvage.

Nous repartons à la hutte-cantine pour faire la préparation. Je dois gratter l'écorce avec un couteau et la mettre dans une assiette. L'écorce est vert-jaune. Très fine et tendre. Ça fait comme du raphia mouillé quand je la gratte avec le couteau. Le cœur du bois est jaune clair. Je pleure. À cause de l'odeur d'ail.

L'ajosacha est aussi utilisée contre les douleurs articulaires, musculaires et les morsures de serpent. Une fois les deux branches dénudées, Francisco récupère toute l'écorce grattée et la met dans une tasse avec de l'eau. À macérer toute la nuit. Il me demande de garder les deux branches dont j'ai prélevé l'écorce. Pour les poser sous mon hamac, et par l'odeur alléché attirer l'esprit de l'ajosacha...

Samedi 21 octobre

Extérieur : Nuit. 5 heures du mat sur ma scène.

Intérieur (de moi) : Sent l'ail.

Je me réveille. Il fait encore nuit. Beuuuurk, ça sent l'ail ! Je pense à hier soir. La trouille que j'ai eue en me couchant. Faut pas me raconter des histoires pareilles ! Moi j'imaginais l'esprit de l'ajosacha en train de rôder autour de moi. Hiiiii. Impossible de dormir après ça. Heureusement que mon implacable raison est venue me souffler qu'un esprit attiré par une odeur d'ail ne pouvait en tout cas pas être un vampire. Bon.

Le jour se lève. Je regarde sous mon hamac. Les deux branches d'ajosacha sont toujours là. Dans la même position.

Francisco arrive dans ma hutte. La tasse dans une main. Il met un doigt sur sa bouche en signe de silence. Il se met à chanter un icaro. Puis il allume une cigarette. Souffle la fumée sur la potion. Et me la tend. Odeur d'ail. Vraiment. Je dois me concentrer. Avaler. D'un trait. Voilà. Goût à la mesure de l'odeur. Maintenant je suis *vampire proof*. Au milieu des sons du matin. Spécial suspense...

Je dois frotter mon estomac parce que la potion pourrait me donner des douleurs. J'ai ordre de ne pas parler, de ne pas manger, de ne voir personne. Jusqu'à midi. Mon seul travail aujourd'hui doit être d'arrêter de penser pour entrer en contact avec l'esprit de l'ajosacha. Un esprit féminin, ajoute Francisco. Rassurant ! Huit jours de diète après ça.

Extérieur : Jour. Jungle. À la recherche d'Alejandrina.
Intérieur (de moi) : Si j'aurais su...

Je regarde ma montre. Quatorze heures trente. Nous marchons dans la jungle depuis une heure et quart ! Marre. Je suis aussi mouillée que les rivières que nous traversons. D'ailleurs parlons-en de traverser. Les ponts sont la plupart du temps un simple rondin de bois, posé d'une rive à l'autre. Vertige. Quatre pattes obligatoire. Nez collé au bois. Pour moi. Francisco danse. Lui.

Nous passons un village. *Miraflores*. Un immense champ herbeux entouré de jungle. Vert clair sur vert foncé avec des couleurs rouges, bleues, jaunes qui jouent au foot au milieu. Des garçons. Quatre bâtiments en bois autour du champ. Avec des toits et des murs. De vraies maisons, quoi.

Nous découvrons que l'une d'elles est l'école. Rencontre avec l'institutrice. Rencontre avec des enfants. Récréation. « On vient voir Alejandrina, elle est chez elle ? » « Oui, vous pouvez y aller ! » Cinq enfants nous accompagnent. Deux garçons, trois filles, aux cheveux noirs et aux grands yeux noirs.

Alejandrina vit isolée. Discipline de rigueur. Alejandrina est une femme chaman, une *chamanca*. C'est elle le médecin du village. Un quart d'heure à pied encore. Nous recommençons à traverser les rivières sur un tronc. M'énerve. Les enfants rigolent. Mon style rampant, je suppose. Ego en berne. Et puis j'en ai assez de marcher.

La grand-mère de Francisco était chamanca aussi. Très renommée. Elle est morte à cent huit ans. Aujourd'hui elle fait partie du monde des esprits sous-marins. Francisco lui parle souvent. En ce moment elle travaille dans un grand hôpital. Dans une rivière. Pas dans l'océan...

Ah, une clairière. Voilà la hutte. « C'est ici ? » Des chiens aboient. Un coq et quelques poules se mettent à courir. Pas moi. Impossible. Je me contente de haleter dans le micro de la BBC, ma nouvelle prothèse. Une vieille dame vient à notre rencontre. « Voilà Alejandrina », m'annonce Francisco. Elle est petite, un mètre cinquante environ. Bien droite. Avec un gros ventre sur des jambes toutes fines. Belle énergie. Pas beaucoup de rides. Elle a des yeux très brillants, pétillants et coquins. Qui lancent des éclairs derrière des paupières tombantes. Elle porte un foulard blanc, noué à l'arrière de la tête. Comme les corsaires. Des cheveux gris, ondulés, sortent du foulard pour venir se poser sur ses épaules. Tombantes. Elle porte un tee-shirt blanc à manches courtes avec des fleurs roses dessinées en paillettes et un pantalon genre jean, rose délavé, dont le bas est retourné en boudins. Elle est pieds nus. Une tresse de ficelle blanche entoure chacune de ses chevilles. Son sourire nous accueille. Grand. Ouvert sur une seule dent. En haut à droite.

Alejandrina nous invite à entrer dans sa hutte. Pas de murs. Nous montons une petite échelle de quatre barreaux pour atteindre le plancher. Le sol est une sorte d'assemblage de bambous. Elle allume un mapatcho. On dirait qu'elle fume beaucoup.

À soixante-douze ans, Alejandrina travaille toujours. Elle a eu quatre enfants. Cinq de ses petits-enfants sont autour de nous. De neuf à treize ans.

Son apprentissage de chamanca a commencé à l'âge de vingt ans. Elle ne travaille pas avec l'ayahuasca mais avec le tabac. Elle le fait macérer dans de l'eau et boit l'eau de macération. Ce qui provoque des vomissements, puis des visions, grâce auxquelles la chamanca entre en contact avec le monde des esprits. L'effet physique est, d'après Francisco, plus violent que celui de l'ayahuasca. Il parle d'une spirale, dans laquelle on se sent aspiré et au sommet de laquelle on s'envole, on a des visions. Mais une fois là-haut, il est parfois difficile de retrouver le chemin du retour, de retrouver la spirale et de la prendre en sens inverse pour rejoindre notre bon humus. Trop fort pour mon microscopique sens de l'orientation...

Alejandrina nous chante des icaros. Elle nous chante même les icaros magiques qui peuvent rendre amoureux de vous toute personne à qui vous les chantez. Un pour les filles, un pour les garçons. J'enregistre. Avec une idée derrière la tête. Oui j'avoue...

Dimanche 22 octobre

Extérieur : Jour. 11 heures. Devant la hutte-cantine.
Intérieur (de moi) : « Connecté ».

Je suis dans le rythme du lieu. Ça y est. Je me sens très bien. Même plus faim. Faut dire que riz-tomates, riz-tomates, riz-tomates n'est pas une nourriture qui peut exciter mes neurones ! Plus rien d'excité, d'ailleurs. Calme. Sérénité. Bizarre.

Il fait très beau, très clair. Pas trop humide. Je suis seule. Je sculpte ma pipe. J'ai deux grosses ampoules dans ma main droite. Une à la base de l'index. L'autre dans la paume. C'est la marque du couteau. J'adore sculpter cet objet. Scrrrrt, scrrrrt. Le cri monotone de la sculpteuse. Le temps passe différemment quand je le caresse. Ici l'unité de temps devient le trait de couteau. C'est le son de ce rythme qui porte en lui la forme de la pipe et qui la révèle. Comme les chants de Ruperto ou ceux de la brousse africaine. Si ces rythmes semblent monotones, c'est qu'on n'entend pas, qu'on ne réalise pas la « forme » qui se dégage imperceptiblement de cette répétition. Cette musique ne se déroule pas uniquement sur un axe temporel linéaire, mais également dans une « épaisseur », qui à chaque répétition laisse percevoir cette forme, ce quelque chose de naissant qui apparaît derrière le rythme...

On peut écouter un chant de la même façon qu'on peut regarder un objet. Sous plusieurs angles. Je veux sculpter encore. Explorer le relief, découvrir un message, vivre la musique du bois. Pas envie de finir.

Extérieur : Jour. Jungle. 15 heures.
Intérieur de moi : Musique

Nouvelle marche dans la jungle. Cette fois à la recherche des feuilles mystérieuses à partir desquelles je vais devoir fabriquer mon propre instrument de musique, ma shacapa. Cet instrument doit capter les mauvaises énergies, s'il y en a, il doit aussi les remplacer par de bonnes énergies et battre le rythme qui ancre à la terre.

Nous ne marchons pas longtemps. Je suis hyper-excitée de voir l'arbre qui fabrique des instruments de musique ! J'imagine des violons pendus aux branches, j'imagine la cueillette des flûtes... Francisco s'arrête devant un massif qui ressemble à des fougères cannelées. C'est ça, l'arbre à shacapas ? Francisco sourit. Je crois voir un brin de condescendance friser sa fine moustache. Ben quoi ! j'ai été élevée dans la brousse, moi, pas dans la jungle !

Il met sa main dans les feuilles. Il détecte les bonnes feuilles, les tâte, les caresse. Avant de les couper. Puis il écoute le son que font les feuilles, comme on écoute le son du bois dans lequel on va fabriquer un violon ! À cet instant j'ai l'impression d'être dans la genèse des gestes qui vont engendrer la musique. Ces petits gestes qui aujourd'hui sont accomplis par des milliers de facteurs d'instruments mais qui un jour ont été « inventés » par un premier humain qui a entendu le son d'une feuille, le son d'un morceau de bois et qui, en quelque sorte, s'est amusé à « organiser » les sons qui en sortaient. Ce jour-là, la musique est née. Quelle surprise, quelle émotion a-t-il alors ressentie ? Peut-être la même que la mienne, là, avec cette feuille qui chante dans ma main.

Francisco me montre la feuille cannelée qui a la forme d'un soufflet d'accordéon. Vert foncé. Elle mesure une vingtaine de centimètres de long sur trois-quatre centimètres de large. Il choisit sept branches. Une pour chaque niveau de l'univers.

Retour à la hutte-cantine pour assembler les sept branches. Avec un ruban d'écorce qui ressemble à du raphia. Joli bouquet de feuilles fraîches. Francisco essaie ma première shacapa. Elle sonne bien ! Il me la tend. Précieux cadeau. Je l'emporte dans mon univers, qui murmure de joie.

Francisco va maintenant m'apprendre à chanter mon premier icaro, celui de l'ajosacha. J'attends ce nouveau langage comme la révélation du mot de passe qui va m'ouvrir la porte du monde des esprits. Et quand je pense que ce langage est de la musique ! Extase. Francisco m'explique que chaque plante a ses propres icaros et qu'il faut tous les apprendre pour pouvoir entrer en contact avec l'esprit de chacune d'elles.

Il commence par siffler une mélodie. Très simple. Je ne sais pas pourquoi mais je m'attendais à quelque chose de plus compliqué. Puis il chante. J'écoute. Je chante avec lui. Émotion. D'une voix qui en soutient une autre pour la guider dans une nouvelle dimension...

Francisco me montre le rythme qui doit accompagner le chant. J'utilise ma shacapa. Nous chantons. Il semble satisfait. Bouffée de joie. Plus qu'à m'entraîner. Je demande à Francisco s'il est important que je chante à la même vitesse que lui...

— La même vitesse que moi ? marmonne-t-il. Mais alors tu n'as rien compris ! Quand tu parles à quelqu'un tu dis tes mots sur quel rythme ? Sur celui de ton voisin ?

— Ben non ! réponds-je, vexée. Je parle à ma vitesse !

— Alors pourquoi voudrais-tu parler aux plantes avec mon rythme de paroles ! La musique est ton moyen d'expression, elle est ton langage, tu dois la dire selon TON rythme...

Silence. Je pense. Qu'il a raison. Il sourit. C'est vrai que, dans certaines tribus africaines, non seulement les formules rythmiques sont propres à chaque population et à chaque individu mais leur vitesse d'interprétation dépend aussi de l'âge de l'interprète ! C'est-à-dire que, pour un même morceau, les jeunes doivent jouer dans des tempi rapides pour prouver leur vigueur, tandis que les vieux doivent jouer lentement ! J'imagine notre *Marseillaise*, jouée en tempo rapide par les jeunes et lent par les vieux. Forget it !

En tout cas j'ai intérêt à m'y faire parce que demain j'ai « test de communication ». Ce qui veut dire que je vais devoir aller dans la jungle pour trouver un plant d'ajosacha, me poster devant lui et lui chanter sa chanson.

Lundi 23 octobre

Extérieur : Jour. Jungle. 7 heures.
Intérieur (de moi) : Trac.

Ça y est, j'y suis. Devant l'ajosacha. Micro prêt à l'enregistrement. Je me sens bizarre. Quant à l'attitude à prendre. Je tourne la tête. Très envie de siffler. Personne ne me regarde. Bon. J'y vais.

Balancement du poignet. Intro rythmique de ma shacapa. « Tchtchtchtch-tchtchtchtch... » Un son étrange sort de ma bouche. On dirait que je croque ma voix avec les dents ! C'est une expression du Sénégal. Une bonne voix doit être liquide...

Concentre-toi, pauvre fille ! Coup d'œil à l'ajosacha. Elle est toujours verte. Tout va bien. Peut-être un peu les feuilles pendantes...

Bon. Grattage de gorge. Ça résonne dans la

jungle. On dirait que les bêtes ont fait exprès de se taire. C'est le même silence que dans une salle de concert, quand l'artiste a un trou !

Puisque c'est comme ça, je vais appliquer la technique du hurlement désinhibiteur. Just do it ! Je me lance, telle la diva des feuilles : « Ajosacha, je suis Corine, veux-tu entrer en contact avec moi, veux-tu m'enseigner les rêves ? » OK je me sens ridicule et puis je m'en fous, je suis la reine de la nuit, la jungle se tapit et l'ajosacha sourit ! ! !

Silence ému de la jungle. Celui qui précède un tonnerre d'applaudissements. Me reste à saluer. Je n'aurais jamais cru ça de moi. Joie.

Extérieur : Jour. Ma hutte. 16 heures.
Intérieur (de moi) : L'alchimiste.

Le morceau de palissandre a fini par prendre la forme de l'objet qui était en lui. C'est moi qui l'ai révélé. Ou lui qui m'a raconté cette forme qui s'échappait de lui. La pipe est là. Dans la paume de ma main gauche. Petit cône rouge foncé. Brillant. Je l'ai poli. Pendant des heures. Jusqu'à ce qu'il me dise stop. Alors je l'ai serré dans mes mains. Je l'ai tourné et retourné. Pour chercher sa chaleur. Pour le réchauffer. Échange de vibrations. Nous nous sommes faits nôtres. Ton bois est doux. Je te fais caresser la peau de mon visage. Maintenant tu me donnes ton odeur de saumure. Bonjour ma pipe...

Mardi 24 octobre

Extérieur : Jungle for ever.
Intérieur (de moi) : Antimoustique.

Huit heures trente. Francisco nous aligne, Bettina, Joan et moi. Il va nous « présenter » aux arbres maîtres. Ceux qu'il faut diéter pour devenir chaman. « Ce tour est réservé aux Initiés », nous dit-il. J'ai l'impression que le magicien va nous faire disparaître... « Ce tour est interdit aux touristes », continue-t-il. Ego ému. À force.

Francisco chante alors un icaro pour annoncer aux arbres qu'il va nous présenter. Puis il allume un mapatcho, souffle de la fumée sur nos têtes, le haut de la poitrine, le haut du dos, dans les mains, tout ça pour nous purifier, pour nous préparer à la rencontre. Il part en tête. Nous le suivons. Silence. Immersion dans le grand vert.

Il s'arrête devant une liane qui décolle du sol pour former une succession de grands huit d'environ un mètre de hauteur. C'est une *altaruna*. Dix centimètres de diamètre sur cinq mètres de long. Elle enseigne la spiritualité, la relation avec la lumière. C'est un esprit féminin. Si on s'assoit à côté d'elle, la nuit, on peut entendre une femme chanter. Moi je ne risque pas de venir passer la nuit là...

Nous repartons. Francisco nous présente le roi des arbres, le *remocaspi*. *Caspi* veut dire « arbre » en quechua. Il est très haut, environ quarante mètres, écorce granuleuse, marron. Bois très dur. Il enseigne « comment entrer en contact avec tous les arbres ». Il est l'arbre des chamans, de ceux qui soignent. Son esprit est un très vieux monsieur.

Le *soupaicaspi* enseigne la médecine. On utilise sa résine, qui est une très forte colle, en cataplasmes pour accélérer le processus de ressoudage d'un os cassé. Seuls les Bancos peuvent diéter cet arbre. Il est une place de méditation. Ses racines partent du tronc à environ un mètre-un mètre cinquante du sol et forment des parois comme des paravents, tout autour de l'arbre. Ça fait des cabanes. Sans toit. Parfaite cachette. D'ailleurs, lorsque l'esprit d'un arbre « vole » une personne, il vient la cacher dans les racines de cet arbre. C'est arrivé à Yolanda, la femme de Francisco...

Le *troénocaspi* est utilisé par le maître chaman, pour arrêter une tempête. Il doit préparer une potion à base de la résine de l'arbre et la boire.

Le *papairuna* peut vivre jusqu'à trois cents ans. Tronc d'environ deux mètres de diamètre. Très droit. Jusqu'à cinquante mètres de haut. Son écorce bouillie peut soigner les coliques. Macérée dans de l'alcool de canne, elle soulage les douleurs musculaires et articulaires.

Le *chullashakicaspi* est un arbre à l'esprit farceur. Un jeune homme. Il peut se montrer aux humains sous toutes sortes de formes. Surtout pour « enlever » une personne. C'est lui qui a enlevé

Yolanda, la femme de Francisco. L'esprit farceur de cet arbre avait pris l'apparence de Francisco. Confiante, Yolanda l'a suivi dans la jungle et elle a disparu... Francisco, se doutant d'une farce de ce genre, est parti à sa recherche avec des amis. Ils ont mis deux jours à la retrouver. Blottie entre les racines d'un soupaicaspi. Dans une sorte de transe, ayant le même comportement qu'un animal sauvage et voulant fuir à son approche. La grand-mère chamanca de Francisco a enlevé le sort.

À part s'amuser à faire des farces, le chullashakicaspi est capable d'enseigner la médecine, les icaros, la concentration, comment se débarrasser d'un sort, et de donner un Mariri. C'est le prochain que je dois diéter...

Le *cupuna blanco* est un arbre immense. La reine des arbres, l'équivalent féminin du remocaspi. Cinquante mètres de haut, un tronc très droit à l'écorce orange, un peu comme un crépi rustique. Trois mètres de diamètre.

Il enseigne les mêmes choses que le remocaspi, mais pour les femmes. En cas de dépression, tristesse, mauvais moral, il faut préparer une tisane à base de son écorce et en boire sans modération. Je peux en avoir ? La réponse est non. Bon.

Extérieur : Jungle bathroom. 11 heures.

Retour du bal des débutantes. Je suis épuisée, en nage. Les moustiques m'ont trouvée très bonne. Ça gratte. Gratter au-dessus-en dessous, au-dessus-en dessous. Insupportable. Je mets un ongle sur le bouton et j'appuie. Fait du bien. Tant pis. C'est combien de temps l'incubation de la malaria ? Faudra que je demande. Avec toutes ces piqûres, la probabilité de l'éviter diminue dangereusement. Merde, j'ai mes règles. Ça va être pratique, tiens !

Je mets de la boue sur mon corps qui gratte. Je frotte la boue. Ça gratte les piqûres. Partout. Un vrai bonheur. Suis rouge sang maintenant. Rire. Arrosage copieux avec le seau. Ma peau commence à être imprégnée de la couleur de l'eau. Jaunasse. Pas très appétissant. Je ne peux même pas utiliser de savon. À cause de la diète. Et comme je n'ai pas de lait pour le corps, je pèle. Ça me fait des plaques de peau neuve blanche et des plaques de vieille peau desséchée terreuse. Sexy la fille. On dirait un patchwork. J'ai montré une jambe à Francisco. Compassion. Teintée de rire. Oui, je l'ai vu.

Il m'a donné une petite fiole en plastique remplie d'une huile d'arbre. Le *copaïba*. J'en ai pastissé mon corps desséché. Un peu épais comme huile. Difficile à étaler. Couleur jaune foncé, qui sent un mélange de santal et de cèdre. Ça j'adore. En plus c'est cicatrisant et ça repousse les moustiques ! Suffit, pour la récolter, d'entailler l'écorce de l'arbre et hop ça coule. Faut faire ça le matin. Pas trop tôt, à cause de la rosée.

Francisco me dit que les copaïbas deviennent rares, parce que les gens les entaillent trop souvent pour recueillir l'huile, leur sève, et qu'ainsi ils les font mourir. L'huile est vendue sur les marchés. C'est un produit très demandé.

Une autre vertu de l'huile est de calmer les douleurs dues aux acidités d'estomac, ulcères et gastrites. Pour guérir un ulcère il faut boire quatre gouttes d'huile dans un verre d'eau, quatre fois par jour. Je vais le faire. Toujours mal à l'estomac.

Je m'allonge au soleil de ma jungle bathroom. Nue mais tartinée d'huile de copaïba. Vue sur le ciel. Une espèce de rapace fait des pirouettes aériennes, il a le dessous des ailes orange. Soleil très chaud, bronzage intensif, la transpiration perle sur ma peau craquelée-huilée, pintade au four, pommes de terre rissolées, dans de la graisse de canard, silence de la jungle. Je me surprends à ronronner...

Mercredi 25 octobre

Extérieur : Petit jour. Cueillette des ingrédients de la potion magique.
Intérieur (de moi) : Le grand secret.

Nous avançons dans la jungle, saturée de rosée, de moustiques et d'odeur d'humus, pour trouver une nouvelle plante mystère. La surprise du jour est qu'il n'y a pas que de l'ayahuasca dans la potion magique, mais une association de deux plantes, l'ayahuasca et la chacruna. Sans quoi l'ayahuasca n'a aucun pouvoir hallucinogène. Pourquoi ?

Francisco me dit qu'avant de me raconter l'histoire mythique de la potion, je dois savoir que des scientifiques ont entrepris l'analyse chimique des deux plantes. La composition chimique de l'ayahuasca démontre qu'elle contient une substance hallucinogène appelée diméthyltryptamine. Si on l'avale, cette substance n'a aucun effet, parce qu'une enzyme de l'estomac, la monoamine-oxydase, bloque son effet. Bon. C'est là que la chacruna intervient. La chacruna contient plusieurs substances qui imbibent cette enzyme et permettent à la substance hallucinogène de l'ayahuasca d'atteindre le cerveau !

Les scientifiques se demandent encore aujourd'hui comment, sur des milliers de plantes, les indigènes ont pu savoir qu'il fallait précisément associer ces deux-là. Expérimentation ? Impossible, répondent-ils, il y a beaucoup trop de plantes à associer. Hasard ? Non, dit Francisco. Pour lui la réponse est simple...

... C'était au temps des Incas. La tribu des Ayas, qui veut dire « mort », perd son roi. Il est enterré. Quelque temps après, deux plantes se mettent à pousser sur la terre sous laquelle il repose : une liane (*huasca*) au niveau de sa tête et la chacruna, au niveau de sa main.

C'est alors que l'un des Ayas reçoit un message par les rêves. Le message dit qu'il faut associer les deux plantes pour en faire une potion. Ce qu'ils font. L'ayahuasca, la liane de la tribu des morts, est née.

Depuis ils se transmettent la recette. Que je reçois. Que je transmets. Avec autorisation :

RECETTE DE L'AYAHUASCA

Phase 1 : Ramasser trois cents feuilles de chacruna, arbuste d'environ un mètre de haut dont les tiges partent du sol et les feuilles de la tige. Vert clair.

Phase 2 : Récolter l'ayahuasca. Là, c'est plus compliqué. Parce que avant de la récolter il faut avoir purifié son corps et son esprit. Ce qui veut dire : avoir suivi la discipline des chamans, avoir été seul pendant trois jours avant la cueillette, n'avoir mangé ni viande, ni poissons avec des dents, ni graisse, ni salé, ni sucré, ni épicé, ne pas avoir utilisé de savon, ne pas avoir bu d'alcool.

Si tout cela a été respecté, partir au lever du jour à la recherche de la liane, la *soul vine* en anglais. Elle est en général enroulée en spirale autour d'un arbre. Une fois dénichée, déposer à son pied du tabac, une feuille de bananier pour enrouler le tabac et des allumettes pour allumer le tout.

Ensuite, demander à l'ayahuasca la permission de couper une partie de son bois pour soigner des patients. La réponse est donnée par le *chicua*. Le chicua est un petit oiseau qui volette toujours autour de l'ayahuasca. Si le chicua dit « chicua-chicua », la réponse est NON. Alors, abandonner, la potion fabriquée à partir de cette liane pourrait être un poison. Si l'oiseau crie « chis-chis », c'est que la réponse est OUI. Couper alors un morceau d'ayahuasca et en retirer de quoi faire au moins une trentaine de morceaux d'environ vingt-cinq centimètres de long sur trois centimètres de diamètre.

Phase 3 : Écraser les morceaux d'ayahuasca avec une massue en bois, pour en faire un peu éclater l'écorce. Plonger tous les morceaux de liane et les trois cents feuilles de chacruna dans une marmite. Recouvrir d'eau et faire bouillir sur un grand feu pendant huit à dix heures, jusqu'à obtenir un résidu d'un à deux litres. Le passer dans un linge. Propre. Et récupérer le trésor. Un liquide épais. Marron orangé.

C'est Ruperto qui s'occupe de la cuisson. Le feu a été dressé devant ma hutte. La marmite est suspendue sur une potence en bois. Ruperto y a jeté ma pipe il y a une heure. Elle devait bouillir dans l'ayahuasca pour acquérir ses pouvoirs magiques. Il retire de la marmite un cône pointu de couleur noire. Figure de l'île de Pâques. Au long nez. Magic pipe. Toute collante. Il l'essuie et la remplit de tabac. Commence à chanter un icaro, l'allume, aspire la fumée. Ça marche ! Il sourit. Je suis émue. Très émue. Voilà. Ma pipe est prête. Il me la tend. Je dois fumer, maintenant. J'aspire. Plusieurs bouffées. Tête tourne...

Ruperto est drapé des volutes de fumée blanche qui sortent du feu. Je vois Panoramix. Préparer sa potion magique. Il fume un mapatcho. Histoire sans paroles. L'air tremble. Dans le ciel de la marmite. Nous regardons. Réduits à nos sens. Odeur de feu. Goût du tabac qui chauffe ma bouche. Glouglou au son grave de la potion. Le liquide est épais. Dans ce vallon magique, nous laissons tomber le temps.

Extérieur : Hutte-cantine. 17 heures.

Francisco nous présente une dame. Canadienne de Toronto. Elle vient d'arriver. Soixantaine. Presque grosse. Blonde frisée. Peau très blanche. Yeux bleus. Clairs. Vieille hippie. Écrivain. Auteur d'un best-seller. Je ne peux pas en dire plus. Disons qu'elle s'appelle Janet.

Elle est à Sachamama pour faire une expérience d'ayahuasca. Bettina, Joan et moi la trouvons sympa, mais nous avons du mal à entrer en contact avec elle. À la ressentir. Bizarre impression. Elle va faire la séance d'ayahuasca avec moi, demain. Suis pas contente. J'aimais bien être seule. Bon. On verra.

Joan s'en va samedi. Elle a été très malade encore pendant sa dernière séance d'ayahuasca. Elle ressent pourtant que ça va mieux. Comme si des forces étaient en train de lâcher sa nuque. Francisco lui a préparé des potions à base de plantes, qu'elle devra prendre pendant un mois après son départ. Elle me donne son e-mail. Comme ça j'aurai des nouvelles.

Francisco me demande si j'ai fait des rêves particuliers depuis que j'ai avalé la potion d'ajosacha. Euhhh... Je dois avouer que non. Mais que oui.

Mais qu'en fait le seul rêve dont je me souvienne se passait dans un avion... J'allais à Paris pour manger une pizza... Rire collectif. Francisco me dit qu'il voit là un message de la tomate. Me semble que je rougis.

Extérieur : Nuit. Ma hutte.
Intérieur (de moi) : La peur de ma vie.

Je fume ma pipe dans la douceur de la nuit tombée. J'écoute. Je m'imprègne. Je me fonds dans cette ambiance de la nuit. Toujours des sons inconnus. Des appels à je ne sais quoi. Vivre c'est faire des sons. On dirait. Et les sons me transportent. Et je m'envole. Je ne sais pas comment. Je me souviens d'un concours de musique où on m'avait demandé d'accompagner un violoncelliste au piano. Nous avions commencé le programme, une sonate de Beethoven, les sons s'étaient mis à vibrer dans mes oreilles, ils étaient devenus des émotions et j'étais « partie », je voyais mes doigts jouer sur le piano, ils n'étaient plus à moi, ils étaient juste là pour transmettre ce dans quoi j'étais, ce que j'étais, de la musique, je crois.

Je me suis « réveillée » comme le coyote qui se rend compte qu'il court dans le vide. Devant faire un énorme effort pour « revenir » dans mes doigts qui, eux, continuaient à jouer !

C'est sur la route de Ouahigouya, au Burkina, que j'ai connu ma première « transe » musicale. J'avais six ans. Mes parents et moi et Irko, le chien, nous étions retrouvés dans la brousse, au milieu d'une tribu mossis en pleine cérémonie funèbre. Plusieurs cercles de villageois chantaient et tapaient un rythme dans les mains. On avait avancé tout doucement vers eux. Moi j'étais fascinée. Aimantée. Le cercle s'était peu à peu ouvert puis refermé pour nous laisser passer. Petites mouches attirées par la belle couleur d'une plante carnivore. Je m'étais retrouvée au premier rang, avec d'autres enfants. Qui chantaient et qui battaient le rythme. Les danseurs et les masques étaient là, au centre du cercle, impressionnants, devant moi. Je ne me souviens alors que d'une immense vague de musique qui avait envahi et noyé mon corps. Mon cœur s'était mis au rythme des tambours et mes oreilles avaient suivi les chants. Très loin, dans des contrées sans fin où la couleur et l'odeur de la brousse ont un son sans espace et sans temps...

Maman m'avait attrapée par le bras. Elle avait mis un doigt sur sa bouche pour me faire comprendre de ne déranger personne. Très lentement elle m'avait fait reculer pour quitter le cercle. Irko était toujours collé à moi. La queue entre les jambes. Nous ne pouvions nous détacher du cercle, mais maman nous tenait fermement.

Elle m'a dit plus tard que le chien et moi étions en transe. On tremblait autant l'un que l'autre ! Je me demande si Irko s'était aussi promené sur le *tapis volant*...

C'est le terme que j'avais trouvé pour expliquer à mes parents mon voyage dans les rythmes.

Assise à mon bureau de jungle, je regarde mes orteils battre la mesure sur les syllabes de Ouahigouya. Ce mot me remplit de joie. Sais pas pourquoi. Je scande. Oua-hi-gou-ya. Oua-hiiiigouyaaaaaa. Je suis pieds nus. Une vraie femme de la jungle. À la flamme de la bougie mes orteils font de l'ombre. Une ombre longue comme des griffes. Je suis un rapace. C'est là que je la vois. La tarentule. Comme une grosse main poilue. À un mètre de mon pied droit. Nu. Elle ne bouge pas. Doit se poser des questions. Par quel morceau vais-je attaquer ce géant ? Zéro bpm pour moi, le géant. Arrêt cardiaque annoncé. Ne pas bouger. Il ne faut pas qu'elle perçoive mes vibrations. Les animaux ça sent la peur. Et ça attaque. Non, là elle me regarde. Sourire ? Non. Fuir ? Mais alors très vite. D'un coup je veux dire. J'ai pas de chaussures. Elle me regarde toujours. Pleine de poils. J'imagine ses petites pattes chatouilleuses monter sur mon pied. Droit. Et la morsure. Ses dents accrochées à ma tendre chair... J'y vaiiiiis. Je fonce. Je cours. En zigzag sur le morceau de scène qu'elle a bien voulu me laisser. Course d'éléphant sur un plancher qui résonne du rythme de ma trouille. Où est-elle ? Elle a disparu ? On voit rien, avec ces bougies ! Deux grands sauts jusqu'à ma lampe frontale. Éviter tout contact avec le sol. Voilà. Le phare éclaire le plancher. Absence de tarentule. Examen approfondi de mon hamac. Rien. Je me coule sous la moustiquaire. En état de choc. Araignée du soir. Désespoir.

Jeudi 26 octobre

Extérieur : Hutte-cantine.

Journée ayahuasca today. Avec l'intruse. La Canadienne. Je ne devrais pas dire ça. Je sais. Je fais la bulle et je la jette. La mauvaise pensée. Je n'ai plus qu'à me délecter de riz blanc au RIEN et plus RIEN jusqu'à demain matin. Je m'en fous. J'ai de moins en moins faim. Et puis quand j'ai faim, je fume. Oh pardon, je nourris mes esprits !

Du coup, mes bourrelets ont maigri. Ça, ça me fait plutôt plaisir. Je pense à mes copines de régime, là-bas, dans le pays où on mange à sa faim. Quand je vais leur raconter mes aventures, elles vont toutes vouloir venir à Sachamama. En plus de la cure antibourrelets garantie, elles auront un séjour cure thermale, phytothérapie, purges en tout genre, conversation avec les esprits, visite de la jungle, cueillette de plantes hallucinogènes et soirées dégustation !

Quinze jours que je n'ai pas vu ma figure dans une glace. Quelquefois je me regarde dans la rivière. Pas claire. Je me demande si je vais me reconnaître après tout ce temps passé dans les herbes. J'imagine les innombrables cheveux blancs que ma trouille aura fait pousser. Mon image me manque. Ton image me manque. Je veux te garder en moi comme un reflet sur un lac transparent. Et me demander quelle image est l'illusion quand je regarde ce reflet. Quelle image contient ta vie.

Je n'ai toujours pas eu de rêves. Ajosacha, t'es pas gentille. Je vais pourtant chaque jour te chanter ta chanson. Tu pourrais me répondre ! Ou alors tu détestes ma voix. Ou alors tu ne comprends rien à ce que je te raconte. Si tu continues je vais cacaber dans tes oreilles de plante.

Il pleut, il fait beau, il pleut, il fait beau. Et quand il pleut il tombe des trombes. Le perroquet vert adore chanter sous la pluie. Rigolo. Il est sur sa branche, l'eau glisse sur ses plumes vertes et plus ça tombe plus il chante. J'enregistre la diva qui rit de se voir si belle. Jusqu'à ce que Francisco m'appelle. Leçon, maintenant. Le plat du jour ? « Les plantes médicinales ».

En Amazonie, les principales maladies sont dues à l'humidité, aux parasites et à la malnutrition. D'où arthrite, rhumatismes, douleurs articulaires, asthme, toux, tuberculose, migraines, infections, diarrhées, douleurs rénales, anémie, problèmes de vue, débilité, etc. Les plantes utilisées sont donc essentiellement celles qui soulagent ces maux.

La *papaye*, le *païco* et le *squash* sont des antiparasitaires. La recette pour éliminer ces bestioles est par exemple de préparer une poudre avec les graines séchées de la papaye, de la mélanger avec de l'eau et de prendre une cuillère à café pendant trois jours consécutifs. Le païco s'utilise en faisant un jus de ses feuilles ou en écrasant les graines du fruit. Même posologie que la papaye. Le squash est une sorte de melon. Très puissant purgatif. Une prise tous les six mois est suffisante.

Pour arrêter une diarrhée il faut utiliser du *guayaba*. C'est un astringent. L'écorce est préparée en décoction. Une prise le matin, une prise le soir et ça s'arrête. Ça peut également se prendre en prévention des vomissements.

Le *huito* est utilisé contre la toux et l'asthme. C'est un fruit de la taille d'une orange. Marron. Couper cinq fruits en quatre, les mettre à bouillir avec huit litres d'eau et un demi-kilo de sucre. Réduire jusqu'à obtenir un sirop. C'est aussi un expectorant. Prendre trois petits verres par jour jusqu'à l'arrêt de la toux.

Les *cat's clow* sont l'une des plantes les plus exportées dans le monde occidental. C'est une liane dont on utilise l'écorce. En décoction ou en infusion. C'est antirhumatismal, anti-inflammatoire, anticancéreux, ça aurait aussi des effets sur le sida et le diabète. Un must ! Mais je n'arrive pas à avoir davantage d'explications.

Francisco dit que seulement deux pour cent des plantes existant dans la forêt amazonienne auraient fait l'objet d'études en laboratoire. Tout ce patrimoine est en majorité connu des seuls chamans. Qui commencent à s'organiser contre le pillage de ce patrimoine. Ils se regroupent en associations qui ne divulguent leurs secrets qu'à certaines conditions. Dont celle de pouvoir bénéficier des retombées économiques résultant de la commercialisation des médicaments issus de ces plantes. Un labo américain a même essayé de « patenter » la recette de l'ayahuasca. Procès. Les Indiens ont gagné. Le brevet a été annulé. Pour la raison que des ethnobotanistes avaient mentionné cette formule dans des livres, bien avant que ce labo en ait déposé la formule. Bien fait.

Francisco me raconte l'histoire de cette autre plante, utilisée par des Indiens d'Amazonie et utilisée récemment par des chercheurs. Certaines études révélaient en effet qu'une certaine région d'Amazonie n'était pas ou très peu touchée par la tuberculose. Les indigènes disaient la soigner avec une préparation à base d'une plante. Qui a fait l'objet d'études en laboratoire et qui se montre très efficace. Dépassant de loin tout ce qui existe actuellement sur le marché.

Moi je demande du sirop de huito et quelques morceaux de cat's clow. Je vais faire des cadeaux à mes copines, en rentrant.

Extérieur : Hutte de cérémonie. 20 h 30.
Intérieur (de moi) : Vétéran.

Ayahuasca troisième ! Cette fois Janet est avec moi sur le banc des condamnées. Je suis tout excitée à l'idée de boire l'ayahuasca que j'ai préparée de mes mains. Encore une pleine dose. Que j'avale in one shot. Tiens, c'est presque, presque sucré ce soir ! Je retourne m'asseoir. En passant je serre les mains de Janet. Une impulsion. Elle n'a pas l'air dans son assiette.

Cette fois l'effet n'est vraiment pas long à venir. Plus je diète et plus je suis perméable ! Bon, le film commence. Mes jolis serpents. Tiens ! Vous me dites quelque chose. Quoi ? Je dois arrêter de boire de l'ayahuasca ? ? ? Strange. Comprendrai plus tard. Mais trop tard.

Les réseaux de filets multicolores apparaissent. Je me mets à trembler, à faire des mouvements avec mes jambes. Ça s'étend au corps, aux bras, aux mains. Tout bouge. Impression de secouer, de déranger mes... démons ? Ils vont sortir du plus profond de moi. Je les vois ! Je vois des vilaines bêtes rampantes qui font des grimaces. Elles remontent à la surface. Vraiment pas belles, gluantes. Exactement comme celles que j'imagine toujours derrière moi. Mais là elles sont à l'intérieur de moi. Sorcière, va. Eh ben je vais les vomir !

Je me mets à genoux. Estomac secoué, secoué par les mouvements que je fais. Totalement incontrôlables. Je vomis. Ils sortent, les démons, je les vois s'écraser dans la nuit ! Bien fait. C'est bon. Je me sens bien. Visions colorées. La moustiquaire des énergies. Le tonnerre éclate. Il se met à pleuvoir très fort. Comme une vague de force qui se propage.

Une lampe de poche s'allume. Clignage des yeux. Retour au temps. Janet n'est pas bien du tout. Francisco l'accompagne dans la jungle. Je retourne dans l'autre dimension. Je suis avec les éléments. Je suis avec le vent, je suis avec la pluie. Tout d'un coup le son de tout ça se met à « monter », comme si mes oreilles avaient été connectées à un amplificateur. Extraordinaire symphonie de la nature. Vrombissement. Impression d'entendre la respiration de la terre. J'inspire avec elle.

C'est là que les sons, mes sons, commencent à arriver. Je chante avec Ruperto. Chaque son se transforme en vibration. Il résonne dans ma poitrine. Dans mon ventre. Comme une onde qui se propage dans l'eau de mon corps. Je ne contrôle pas. Transe ? Tout mon corps n'est que vibrations, vibrations qui dissolvent les nœuds, les blocages. Le barrage cède, je deviens souple. Tellement souple. Sensation incroyable. La matière se transforme...

Ruperto arrive près de moi. Il souffle de la fumée sur le haut de mon crâne. Je sens cette fumée entrer en moi comme dans un vide. Se transformer en énergie. Fort. La pluie se calme. Ça pue. Janet a la chiasse. Sans arrêt depuis le début. Francisco la raccompagne à sa hutte. Le son de l'orage passe du grave à l'aigu. Aigu des dernières gouttes d'eau qui annoncent le retour au silence.

Je suis seule, maintenant. Avec Ruperto. Il chante. J'aime sa voix. Vraiment l'expression des énergies qui nous entourent. C'est simple. Il ne s'écoute pas chanter, il est dans sa voix. Il est l'énergie du son. Moment de sérénité. Et mon corps fond. En l'espace d'une pensée. Je le sens se transformer en liquide. Incroyable transformation. Puis plus rien. Plus de sensations physiques. Je suis quelque part, hors du temps. Durée inconnue. Stop.

Une main se pose sur ma tête. Une main se pose sur mon avant-bras. « Coriné ? » Francisco m'appelle. « Tout va bien ? » Pourquoi il me demande ça ? Il me dérange. « Oui, tout va bien ! » Je suis si bien. Mais je tremble de plus en plus. Quelle est la force qui m'oblige ? L'énergie est si puissante qu'elle me fait faire des grimaces. Un animal prend sa forme dans ma peau. Mon visage se plisse. Voilà. Je suis une sauterelle. Je baisse la tête. Je plisse encore plus le visage. Je remonte les épaules. Mes bras sont de longues pattes collées à ma tête. Dépliage des pattes. Et toute petite bouche qui fait tsstssstssstsstsstsstsstsss...

Une lumière apparaît. En moi. Elle vient du ventre. Elle est posée sur un cône. Comme un cornet de glace dont la boule serait cette lumière. Globe jaune clair, chaud, rayonnant. Très doux. Un personnage sur un trône apparaît. Avec un diadème. Très serein. Francisco me parle. Encore. Ça m'énerve. Il me demande si je peux marcher ! Impossible. Impression d'être un ballon non dirigeable dont on a coupé l'amarre. Toujours tout qui secoue. Ruperto s'approche de moi. Souffle de la fumée pour me faire « redescendre ». Rien à faire.

Alors Ruperto vient près de moi. Il chante. Je me promène dans les méandres de son chant. Structure géométrique. Harmoniques invisibles que ce soir je peux voir...

Jusqu'à ce qu'il m'aide à me lever. Je prends appui sur son épaule. Je rigole de tanguer si fort.

Nous récupérons le matériel d'enregistrement. On verra bien ce qui a été enregistré. Je m'accroche à Ruperto. Nous partons dans la nuit, bras dessus bras dessous. En riant comme des bienheureux.

Il me lâche sur le plancher de ma hutte. M'allume une bougie. Je me traîne jusqu'à mon hamac. Pas évident, ce soir, de rentrer là-dedans. Je dois vraiment viser. Hop, ça y est.

Impossible de dormir. Je secoue à fond. Les bras, les mains, les jambes, la tête. Ça me fait balancer le hamac. Mal au cœur. Je dois m'extirper de là pour retrouver le plancher. M'allonger par terre. Suis vraiment épuisée de trembler comme ça. Ça va s'arrêter quand ? Terrifiant. Je dois supporter. Attendre que ça passe. J'en peux plus. Tiens ! je vois mes petits démons. Ça recommence. Mal au ventre maintenant. Manquait plus que la diarrhée. Je me traîne dans la jungle. Je me fais rire. Épuisée. Envie de vomir encore. Ça va pas me lâcher ! Je crie dans la nuit. Je secoue. Estomac aussi. Penchée sur le rebord de ma scène. Seule. À vomir l'air en feu qui sort de mon estomac. Cracher. Jusqu'au fond de mes tripes. Les démons qui s'y amusent. Plus de souffle. Je m'écroule par terre. Secouage automatique. Le programme d'essorage est lancé.

Peux pas dormir. Oh, une spirale ! Au bout, je vois le ciel. J'y vais. Je m'envole. Ça fait du bien. Je me retrouve dans une dimension où il fait noir. Plein de petites particules de lumière autour de moi. C'est joli...

Retour à l'essorage. Le jour se lève. Je voudrais

bien dormir ! Danse obligatoire. Mais ça va s'arrêter quand ? Même pas la force d'aller chercher Francisco. Je vais mourir là, sur ma scène. Sous les yeux de la jungle. Tragédie pas antique. Oh, encore la spirale. Adieu.

Je ne suis pas morte. Je m'étais endormie. D'épuisement. Je tremble encore. Moins. Mais je suis fatiguée. Très fatiguée. Il faudrait que je mange. Même pas faim. Huit heures du mat. Je n'ai pas le droit de manger avant dix heures. Je vais essayer de me traîner jusqu'à la cantine. On sait jamais, qu'ils aient pitié. Suis toujours par terre. Tentative de redressage. La tête secoue. On dirait ces chiens qu'on met à l'arrière des voitures. Give me a break, merde !

Le message. Le message de l'ayahuasca ! C'est pour ça que tu m'as dit qu'il ne fallait plus te boire ? Peut-être que ça ne va jamais s'arrêter ? Non. L'effet s'est atténué. Plus qu'à attendre.

Extérieur : Jour. Hutte-cantine.
Intérieur (de moi) : Le grand vide.
Âge : 120 ans.

J'ai mis au moins une demi-heure pour me traîner de ma cabane à la hutte-cantine. Une vraie loque. Vive les cures de vieillesse. Bettina et Joan sont là. Elles me demandent comment ça s'est passé. Je montre mes stigmates de machine à laver. Elles rigolent. Je ne peux même plus parler. Surtout en anglais.

Neuf heures du mat. Francisco arrive. Il me voit trembler. Je lui dis que ça ne s'est pas arrêté depuis hier soir. Il a l'air inquiet. Il me dit que la dose devait être un peu trop forte. Vu qu'à cause de la diète je deviens hyper-perméable. Je le remercie de m'avoir transformée en machine à laver. Remarque, ils ont été éjectés, les démons. Une vraie centrifugeuse.

Je raconte à Francisco le message de l'ayahuasca. Il dit que le message n'était probablement pas de ne plus prendre d'ayahuasca, mais plutôt de ne pas en prendre AUTANT. Ah, pardon. Vrai que j'ai encore des progrès à faire en tant qu'interprète du langage des plantes. Bientôt sur mon C.V. Mais alors, si elle m'a envoyé ce message, ça veut dire que, dès l'instant où elle est entrée dans mon corps, l'ayahuasca a su que la dose était trop forte ? « Oui », est la réponse de Francisco.

Il me dit qu'hier soir je lui ai fait peur. Allons bon. Il a eu une vision de moi, « me transformant en liquide ». Alors là, il m'épate. Je ne lui ai pourtant rien dit de ma transformation d'hier, comment peut-il savoir ?

— C'est ce que vont t'enseigner les plantes ! me dit-il.

Ah oui c'est vrai.

— Bon et alors ?

— Eh bien hier soir j'ai vu ton corps devenir liquide...

Je pense à *Terminator*. Deux. Francisco me dit que se transformer en liquide est la dernière phase de la purification. Mais qu'après cette phase, on devient un ange, c'est la mort. Arrrggh. Et qu'il n'est pas encore temps pour moi de devenir un ange. Ça je savais. Suis toujours trop pressée.

Je raconte à Francisco ce que j'ai ressenti. Moi. Il sourit. Quand il a vu que je me transformais en liquide, il a vite posé une main sur ma tête et une main sur mon avant-bras. Pour me donner son énergie. Pour me faire « revenir ». Le pire est que, quand il a posé ses mains sur moi, il n'a rien ressenti. « Tu n'étais plus là, dit-il. Mais grâce à mon énergie, petit à petit la chaleur est revenue dans ton corps, TU es revenue dans ton corps ! Et c'est à ce moment-là que tu as ressenti mes mains sur ta tête et sur ton bras... » Very very strange.

Il ajoute que ces visions, que les sensations qu'il peut avoir, sont le genre de perceptions que les plantes et les diètes vont développer en moi si je continue à faire l'apprentie. Je ne sais plus si j'ai tellement envie...

Dix heures. Je tremble de moins en moins. Riz et chou-fleur arrivent. Faim. Miam et re-miam. Vingt-six heures sans manger. Je pense à ceux qui n'ont pas le choix. En mangeant. D'accord.

Janet arrive. Épuisée aussi. Diarrhée non stop. Pas de visions. Elle nous dit qu'elle se sent humiliée. Bon. Finalement j'ai de la chance.

Je passe la journée à dormir. Et à dessiner des ronds dans mon cahier. Pour voir. Comment ça fait avec la tremblote. Pour voir ce qui a pu changer dans mes gestes après un tel programme de purification. Délire artistique aigu. D'autant que je n'ai même jamais été foutue de dessiner un rond.

Rond. Mais pourquoi la perfection du cercle serait-elle dans sa régularité ? Un rythme régulier est-il par essence parfait ? Je regarde mes cercles. Y en a un qui m'émeut. Un gros bancal. Je le touche. C'est un geste qui l'a fait. Une impulsion. Un cri. Moi je le trouve parfait. J'aime cette tension qui l'éloigne de l'équilibre, cette tension que je retrouve, que je ressens exactement de la même façon dans les chants de Ruperto. Un peu comme un éloignement et un rapprochement du rythme qui donneraient à l'auditeur l'impression que la musique respire.

Francisco vient me chercher pour le repas. Me déranger pour si peu.

Samedi 28 octobre

Extérieur : Jungle. Vers 15 heures.
Intérieur (de moi) : « Laissez-moi un message. »

Nous sommes à la recherche du chullashakicaspi. L'arbre aux racines de pieuvre, celui dont l'esprit farceur enlève les jolies filles. Francisco m'a dit que j'étais prête à le diéter. Bon. Le chullashakicaspi est censé m'enseigner « comment chanter les icaros ». Ça j'attends avec impatience, vu que l'ajosacha ne me parle toujours pas. Le chullashakicaspi va peut-être aussi me donner mon icaro. Par les rêves. Que je n'ai toujours pas eus. Non plus. Glissons.

Francisco a trouvé un chulla... Il fait un truc bizarre. Il se sert du plat de sa machette pour donner des petits coups sur le tronc de l'arbre. Paraît qu'il faut le réveiller ! Francisco essaie alors de retirer un morceau d'écorce. Ça s'enlève mal. Il me dit que c'est parce que l'arbre n'est pas encore réveillé. Faut lui donner encore quelques petits coups. « Toc, toc, toc, toc, toc. » Allez, réveille-toi, feignasse. Silence. Nouvel essai. Cette fois l'écorce s'en va toute seule ! Francisco me regarde. Sourire malicieux. Je sens que je fais une drôle de tête. « Tu vois, il est réveillé maintenant ! »

Alors il faut le remercier. Et le soigner. Francisco me demande de ramasser de la terre et de la mettre en cataplasme sur la cicatrice que nous venons de faire. C'est ça qui le soigne. L'écorce aura repoussé dans trois à six mois. Voilà.

Nous rejoignons la hutte-cantine avec l'écorce. Préparation de la potion. Je gratte l'extérieur de l'écorce pour ne garder que l'intérieur. Rouge foncé. Super-beau. Je coupe en petits morceaux et hop dans l'eau, à macérer toute la nuit. Francisco me l'apportera demain, à cinq heures du mat. Je devrai encore ne pas bouger, ne pas parler, ne pas manger, jusqu'à midi. Pour entrer en contact avec ce farceur. Il a pas intérêt à m'enlever...

Dimanche 29 octobre

Extérieur : Petit jour. Blottie sous ma moustiquaire.
Intérieur (de moi) : L'enfermement au sérail.

Cinq heures précises. Un rai de lumière réveille la nuit. C'est la lampe de Francisco ? Oui, je reconnais son rythme de pas. Il m'apporte ma potion. Il a versé le liquide macéré dans une tasse blanche. Du métal émaillé. J'approche la tasse de la bougie qui est sur ma table en bois. Pour voir la tête que peut bien avoir le liquide. Il est transparent jaunâtre avec quelques petites poussières d'écorce qui flottent...

Francisco m'invite à boire lentement, en ayant conscience de ce que je fais, en ouvrant ma vie à ce nouvel esprit. J'avale. Le liquide est très insipide. Ce n'est donc pas au goût qu'on peut reconnaître un esprit ! J'ai ordre de retourner dans mon hamac, sous ma moustiquaire, et de ne pas bouger jusqu'à midi. Comme d'hab.

Francisco s'en va. Vrai félin. Aujourd'hui il va rejoindre Yolanda, sa femme, à Iquitos. Et ses six filles. Une de ses filles s'intéresse déjà au chamanisme. Elle a huit ans et connaît plein de plantes.

Francisco peint presque tous les jours. Il dessine

ses visions sous ayahuasca, les rêves que lui transmettent les plantes, les histoires qu'elles enseignent. Rien n'est peint au hasard. Derrière chaque signe, chaque plante, chaque esprit, se cachent les secrets de la connaissance chamanique. L'initié les reconnaît. Carte au trésor, partition de signes que j'essaie de déchiffrer...

Il prépare une exposition à New York, puis à Berlin. Il est aussi invité pendant six semaines en Angleterre, par une association de protection de l'environnement, pour peindre une immense fresque à la gloire de la forêt. C'est à cause de tous ces déplacements que Francisco n'est plus chaman. Un chaman doit vivre isolé. Carmen m'a dit qu'il était pourtant un bon chaman. Mais la mission qu'il dit avoir aujourd'hui, celle que les chamans d'Amazonie lui ont confiée, est d'« ouvrir » et de faire connaître le chamanisme au monde occidental. L'enseignement sera donc divulgué à qui voudra l'apprendre. Raison pour laquelle je peux avoir accès à cette connaissance.

Son autre mission est de promouvoir sa fondation pour la découverte, l'étude et la protection de la forêt amazonienne. La peinture lui permet de financer une partie des frais de fonctionnement de la fondation. L'autre partie est couverte par des dons.

Ruperto est plutôt la force apaisante de Sachamama. L'énergie d'une verticale qui équilibre un lieu. En mouvement. Du visible à l'invisible il apparaît sur vous comme une caresse de vent et disparaît soudain dans le souffle d'un arbre. Toujours debout, toujours souriant, toujours un mapatcho à la bouche et des bottes en plastique vert aux pieds. Il a une famille lui aussi. Mais à plusieurs jours de marche d'ici, dans la jungle. Il vit pour l'instant dans la future hutte-école, juste le temps pour lui d'avoir fini de construire sa propre hutte, pas loin. Il va m'emmener la voir. On ne se parle pas beaucoup, à cause de la langue, mais on s'aime. Ça se voit dans les yeux. J'aime sa présence discrète. Elle est solide. Elle me rassure. Je sais qu'il sait. Qu'il voit mes peurs, qu'il voit mes démons et qu'il les comprend. Juger, c'est pour ceux qui ont peur. Et lui justement n'a pas peur. C'est ça que je ressens en lui. Cette tranquillité rassurante, cette gentillesse infinie de ceux qui n'ont pas peur, parce qu'ils savent exactement quoi ou qui se trouve en face d'eux.

Ses soixante-quinze ans ne l'empêchent pas de travailler presque tous les jours à la construction de sa hutte. Et il ne lui faudra qu'un mois pour la faire pousser dans la jungle...

Francisco m'a dit que la construction d'une hutte d'une vingtaine de mètres carrés revenait à environ trois mille francs. C'est le prix de la main-d'œuvre, tout le bois vient des alentours. Il est coupé et taillé sur place, pour devenir un plancher, une charpente, un toit. Sobre.

L'autre jour j'ai aperçu une jeune femme d'une trentaine d'années avec Ruperto. Carmen la cuisinière m'a fait comprendre que c'était une amoureuse. Un chaman peut avoir plusieurs femmes !

Toujours pas de réaction à la potion. Pas de brûlures d'estomac, pas de vomissements. Je respire. La princesse va pouvoir enfin s'adonner à son jeu favori, dont le but est de laisser vaquer son cerveau à la production de mots dont le son la fait sourire...

... *Toupouri ! ! !* C'est le premier mot qui arrive de mon cerveau tout propre. C'est grave ? Non, dit l'autre voix. C'est de la musique. Qui respire...

Les Toupouris sont un peuple qui vit de part et d'autre de la frontière du Tchad. Dans leur musique ils font des ralentissements progressifs de la pulsation, qui pourraient faire penser au ralentissement d'une pulsation cardiaque lors d'un exercice de concentration. C'est un effet auditif incroyable. Que je retrouve dans les chants de Ruperto. Un peu comme si on flottait dans un espace qui n'est plus mesuré, un espace dans lequel on se mettrait à ressentir la musique non plus de façon linéaire, mais dans une épaisseur. Épaisseur créée par l'effet d'un déséquilibre à la fois rythmique et métrique qui donne à l'auditeur l'impression d'une tension, l'impression que l'espace-temps se gonfle et se dégonfle. Pour que la musique respire !

Lundi 30 octobre

Extérieur : Le manège enchanté dans la nuit du matin.

Réveil vers cinq heures. Allongée dans mon hamac. Je chante. Je suis pleine de musique. Peut-être la potion de chullashakicaspi. Bizarre. Il fait nuit encore. Nuit du matin. Légère.

J'ai besoin d'écrire. De la musique. D'enfin te dire ce que je n'ai pas eu le temps de te dire. À cause de la douleur. C'est con la douleur. Ça empêche de donner. Ça empêche d'apprécier. Les derniers jours. Les derniers instants. Ceux qu'on va regretter toute sa vie d'avoir mouillés de ses pleurs. Sourire. S'ouvrir. Ça sert à rien la douleur. C'est égoïste la douleur. Tu sais. Notre ami était là. Il m'a dit de ne pas pleurer. Il m'a dit de t'écouter mourir. De t'accompagner. Au-delà de ce dernier souffle. D'une autre vie. Avec toi. Être. Dans cet instant. Dans l'instant. Aujourd'hui seulement je comprends ce qu'il voulait dire...

Devinez ce qui mesure un mètre de long sur quatre centimètres de large, qui a des anneaux orange, noirs et blancs, sur tout le corps et qui se trouve dans le petit cours d'eau dans lequel je fais pipi ?

Oui, ça a tout l'air d'un joli serpent. Mais lequel ? Je prends une photo et je fonce, pour une fois, à la recherche de Francisco. Description intensive. Résultat d'analyse. C'est un *nakanaka* ! Je ne connais pas cette bête, moi. Francisco me dit de faire extrêmement attention parce que, s'il me mord, j'ai quinze minutes environ, d'espérance de mort, pour te rejoindre ! T'inquiète, maintenant je sais où tu es.

Ça arrive au bout des bras de Carmen. C'est le jour des devinettes. Une assiette dans laquelle se vautre une feuille de bananier. Fumante. Quoi se cache dans la feuille cuite au feu de bois ? Salivage hystérique. Reniflage circulaire. Ouverture. Odorante. C'est un morceau de poisson. Blanc. Un *dorado*, explique Francisco. Un poisson de l'Amazone. Sans dents. Of course. J'aurais quand même bien voulu voir sa tronche. Absente. Elle est déjà dans le ventre des chats. Il y en a trois. Alors je mange le poisson. Délicieux, moelleux, avec un goût de cabillaud qui aurait une chair de lotte parfumée à la feuille de banane. Extase.

Et travaillons maintenant ! Ventre bien rond à des oreilles. Aujourd'hui sera le cours sur les *black shamans*. L'histoire commence par la mort de la mère de Francisco, des suites d'un mauvais sort qu'un black shaman lui a jeté. Francisco a six ans.

Lui et ses parents sont en train de dîner. Un homme frappe à la porte. Soûl. Il demande à la mère de Francisco, Ysabel, de lui donner un fusil, pour qu'il puisse tuer sa femme. Ysabel refuse, en le mettant à la porte. L'homme s'énerve, il la menace : « D'accord, Ysabel, ton fusil, crois-moi, tu vas le garder longtemps... »

Francisco et ses parents vont se coucher. Soudain une chauve-souris entre sous la moustiquaire. Comment a-t-elle pu entrer ? Ils sortent du lit. Le père de Francisco va chercher un balai pour la chasser. Lorsqu'il revient, la chauve-souris a disparu. Comment a-t-elle pu sortir ?

Dans la nuit, Ysabel rêve de l'homme de la veille. Elle le voit en train de mettre la chauve-souris sous la moustiquaire. Elle se réveille avec une forte douleur au ventre. La grand-mère de Francisco, la chamanca, n'est pas là. Elle est dans la forêt. En période de diète.

La douleur s'aggrave. Ils appellent un autre chaman. Trop tard. Ce chaman reconnaît qu'un sort a été jeté à Ysabel, mais qu'il ne peut rien faire contre la magie de cet homme. Trop « forte » pour lui. Ysabel meurt trois heures plus tard.

Pour libérer d'un mauvais sort, un chaman doit être au même niveau de connaissance que le chaman qui a envoyé le sort. Parce que, s'il est capable d'enlever le sort, le chaman doit en plus se protéger de la vengeance du black shaman. Pour ça, il dispose de quatre principales protections. La première protection est le Mariri. La meilleure de toutes. Plus il est puissant, mieux il va protéger le chaman. La seconde protection est un objet, que le chaman doit choisir ou fabriquer et qu'il va charger du pouvoir de le défendre. La troisième, des chants, des icaros de protection. Et la quatrième, ce sont des *virotes*. Les virotes sont des sortes de petites flèches que le chaman doit fabriquer à partir d'épines de certains arbres, comme le huiririma, le huicungo, le chambira, etc.

Ces virotes sont destinées à détruire les virotes envoyées par le black shaman. S'il veut tuer quelqu'un, le black shaman utilise des virotes faites d'os d'animaux ou de dents de piranha.

Pour pouvoir lutter contre un black shaman, le

chaman doit apprendre la sorcellerie. Parce que « la sorcellerie ne se combat que par la sorcellerie ». Il doit donc suivre le même « régime » que le black shaman, c'est-à-dire diéter les arbres et plantes qui apprennent la sorcellerie. Ces arbres sont le *yanacaspi*, le *pucalupuna*, le *chontaquiro*, le *huiririma*, couvert de grandes épines qu'il ne faut pas toucher...

Le black shaman se sert essentiellement de l'esprit de quatre animaux pour « conduire » ou « transmettre » le mal : la chauve-souris, le hibou, le vautour, le faucon.

Ça me fait penser à la chauve-souris qui niche dans mon toit. Mauvais présage ? En tout cas je l'aime bien. En plus elle sait crotter la tête en bas.

Extérieur : Nuit. La maison de la chauve-souris.
Intérieur (de moi) : Pur concentré de plantes.

Francisco m'a dit qu'il était temps pour moi de faire un *brain washing*. Oh le vilain terme. En fait, c'est un truc de concentration pour arrêter le flux des pensées, avoir des visions et pouvoir prédire l'avenir.

Nous y voilà donc. Sur ma scène. Il m'installe le tabouret. Dos bien droit. Il me demande de regarder la bougie allumée, qu'il a préalablement collée sur la table. Environ à cinquante centimètres de mes yeux. Il se place derrière moi pour tenir ma tête. Bien droite aussi. Le jeu est de regarder la bougie pendant quinze minutes, sans cligner des yeux.

— Sans cligner des yeux ? C'est impossible !

— C'est tout à fait possible ! Et ne pas y arriver veut dire que ton pouvoir de concentration est affecté par tes pensées, qu'il faut donc apprendre à les calmer et à en diminuer le flot. Tu réaliseras que la plupart des pensées sont inutiles.

— Ah ?... Et si j'ai les yeux qui piquent ?

— Ne les ferme justement pas. Des larmes vont se mettre à couler. Ça va mouiller tes yeux. Appuie ta tête contre mes mains, parce qu'à force de fixer elle va bouger et ça peut te déconcentrer.

Bon. Me voilà prête à tester ma concentration. Souffle de décompression. Départ...

Déjà les yeux qui piquent. Merde ! J'ai fermé ! Francisco rigole. Mais c'est un réflexe ! Comment on peut contrôler ça ? Il me dit de me taire et de recommencer. Plus concentrée. M'énerve. Je recommence. Cette fois je fais attention. Je fixe la flamme de la bougie. Voilà. Un, deux, trois, partez ! Quel bruit dehors. Merde ! J'ai fermé ! ! ! Combien de temps j'ai tenu ? Quatre minutes. C'est tout ?

Bon, attends, cette fois c'est la bonne. J'ai compris. Je recommence. Allez. Non, attends. Je respire. Voilà. Un, deux, trois...

Dix minutes ! J'ai tenu dix minutes ! ! ! Francisco me dit que ce n'est pas brillant. Moi ça me va. C'est vrai que les yeux se sont mis à pleurer et qu'après ça, c'était plus facile.

Francisco me dit que, pour tenir plus longtemps, il faut s'entraîner souvent. Petit à petit je dois voir apparaître des formes au travers de la bougie. Et apprendre à les analyser pour en décoder les messages. C'est comme ça qu'on peut prédire l'avenir, me dit-il.

— En regardant dans la bougie ?

— Oui.

— Et toi tu peux prédire l'avenir ?

— Oui, répond-il, avec son sourire malicieux genre je sais ce que tu vas me demander maintenant.

Silence. L'œil en haut à droite, je réfléchis. Veux-je savoir ou ne veux-je pas...

Ben non, « moi je n'ai pas besoin de savoir », m'entends-je dire à Francisco. « Tu parles, me dit ma voix, la méchante, t'as la trouille, oui ! » Mon œil file. En bas à gauche...

Mardi 31 octobre

Extérieur : Jour. La rivière sans retour.
Intérieur (de moi) : La seconde peur de ma vie.

De la croupe de Mooglinette, près du ruisseau accroupie, sortait un liquide jaune et chaud, quand tout à coup le naka-naka sortit sa tête du ruisseau. Par chance, la jeune fille, qui avait remarqué le matin même la vilaine bête vautrée dans son ruisseau, avait l'esprit en alerte. Ses yeux, marrons ronds, balayant la surface de l'eau, virent le superbe reptile dresser la tête et la fixer d'un regard acescent. C'est sûr. Il allait l'attaquer. Un geste alors la sauva. Elle fit un bond de sauterelle. Mais se cassa la gueule, qu'elle avait belle d'ailleurs, son pantalon roulé à ses pieds faisant une chaîne à ses pas. Son cœur en excès de vitesse se mit pourtant à ralentir. Quelle pensée salvatrice pouvait bien troubler son cerveau callipyge ? La réponse était pourtant simple. Que n'y avait-elle pensé plus tôt : ce naka-naka n'était qu'un serpent d'eau. Sur la terre ferme il ne pourrait lui mordre le dos !

Dans un effort violent, face contre cette terre il lui restait à remonter son pantalon. Mais l'esquisse de ce geste, pourtant anodin, dérangea, caché sous une feuille, un petit scorpion. C'en était trop. Elle perdit connaissance. Un choc électrique ayant endommagé son cerveau callipyge, plus rien.

Comment allait-on la retrouver ? Là, dans cet immonde fouillis vert. Mooglinette allait-elle survivre aux diverses piqûres ? Avait-elle eu le temps de remonter son pantalon ? Non, elle ne se laverait pas la tête. Et dire que ce soir elle avait ayahuasca...

Extérieur : Hutte de cérémonie.
Intérieur (de moi) : Et si on sortait ? De la jungle.

Francisco m'a retrouvée prostrée dans mon hamac. Moustiquaire bien bordée. Il m'a demandé si tout allait bien. Oui faible, fut ma réponse, préférant zapper les aventures de Mooglinette. Bon.

Francisco est là pour m'apprendre l'icaro du chullashakicaspi.

— Puis-je rester sous ma moustiquaire ? proposé-je.

— Pas de problème.

Ouf. Francisco commence par siffler la mélodie. Puis il chante. Puis je chante avec lui. Mes oreilles se dressent. Mes oreilles applaudissent. Voilà du beau langage. Ça va mieux. Plus difficile que celui de l'ajosacha. Mais ça va. Je n'ai plus qu'à aller le chanter à l'arbre. Alors pas aujourd'hui s'il vous plaît, monsieur Francisco. Je voudrais éviter tout contact avec la jungle jusqu'à demain. D'ac ? Repli sous ma moustiquaire. Pour le reste du jour...

Vingt heures trente. Ayahuasca fête. Je baisse la tête. Je sens de mauvaises énergies autour de moi. Pas envie. Cela voudrait-il dire que j'ai la trouille ? Ben oui. Installation du matériel. J'avais bien réussi la dernière fois à enregistrer mes bizarres sons. Bettina et Janet sont là. C'est colo ce soir.

Demi-dose de potion pour moâ. Because c'était trop fort la dernière fois. Tant mieux. Intuition que ça va être difficile. Encore des trucs à cracher. On touche le fond ?

Ça commence mal. Je vomis de l'air. Petits rots de rien. Toujours mal au cœur après ça. Tout le monde a la diarrhée autour de moi. Ça pue. Sont vraiment malades.

Vision soudain. Je vois les racines du chullashakicaspi. Devant le tronc apparaît un visage. Un jeune homme. Frisé. Il sourit. Malicieux. Puis il rit. Probablement l'esprit du chullashakicaspi. Il a l'air sympa. Mais il ne parle pas. Veulent pas me parler ces esprits. Ça commence à m'énerver.

J'ai mal au cœur. Je recommence à secouer de partout. Essorage again. C'est parti. Cette fois, plus de visions. Ça me fatigue. Pas de sons non plus. Je rougne. J'ai pourtant l'impression que c'est l'étape finale du nettoyage de mon corps. Je dois aller au bout. J'ai mal au cœur. Les autres sont malades. Sans arrêt. Je voudrais bien l'être aussi. Suis toute bloquée. Si difficile que ça à sortir ce qui reste ? Ça promet si ça sort. Bon. J'appelle Francisco pour qu'il demande à Ruperto de venir m'aider. Ruperto vient chanter près de moi. Il souffle de la fumée. Pousse les énergies avec sa shacapa.

Mille deux cents tours-minute. Mon programme d'essorage est lancé. Je secoue à fond. J'imagine la tête de folle que je dois avoir. C'est pas rigolo. Et puis ça sort pas ! Mes mains se mettent soudain à sautiller autour de mon estomac. Un peu comme des petits balais qui voudraient en extirper la poussière. Je les regarde. C'est pas moi qui décide. Elles font ça toutes seules. Et ça marche ! Je sens que ça pousse quelque chose. L'énergie revient. Je trouve la force de me mettre à genoux. J'ouvre la bouche. Attention ça va sortir. Estomac secoué à fond et hop. Alors là, un truc d'une violence incroyable. Ça passe dans mon nez tellement c'est violent. Ça brûle. Je me mouche. J'ai dû battre des records de distance au jet de vomi. Peur que mon estomac soit parti avec. Les chiens se font bien des retournements d'estomac, non ? Non, ça va. Tout est en place. Repos. Je m'effondre sur le banc.

Ruperto chante. Une vraie pommade calmante. C'est bon. Janet est out. Francisco la raccompagne. Plus que Bettina et moi sur le ring.

Je reprends mon souffle après ce K.-O. Le mal au cœur disparaît petit à petit. Comme une flaque d'eau qui sèche. Bizarre. J'ai l'impression que ça y est. Que mon corps est clean. Profonde joie. Que je n'exprime pas, tellement je suis épuisée. Huit heures que ça dure. La plus longue séance.

Nous rentrons à quatre heures du matin. Je ne peux pas m'endormir. Je secoue toujours. Seulement six cents tours-minute. Demi-dose !

Mercredi 1er novembre

Extérieur : Hutte-cantine.
Intérieur (de moi) : Bas en couleurs.

Je me réveille à dix heures. Impossible de sortir de mon hamac avant onze. Trop faible. Bonne nouvelle, je ne secoue plus ! Onze heures trente. Je me traîne à la hutte-cantine. J'ai loupé mon petit déjeuner. Obligée d'attendre midi. Vingt-huit heures sans manger. Je me vengerai. Tomates crues-riz arrivent. No comment.

Francisco me demande ce que j'ai ressenti hier soir. Eh bien, à part l'arbre et l'esprit que j'ai vus, je n'ai RIEN ressenti, lui réponds-je. Mais j'ai fait du ménage !

Alors il me dit un truc incroyable. Un truc qui me fait à la fois peur et plaisir. On n'imagine pas tout ce qui peut traîner dans ces forêts profondes. Il me dit qu'il a vu sept énergies et sept esprits et sept plantes se présenter à moi ! Silence, je pense...

En tout cas, moi je n'ai rien vu. Mais c'est peut-être pour ça que je secoue tout le temps ? Ça pourrait vouloir dire qu'au lieu de me parler, les esprits me secouent ?

La réponse est non. Francisco me ramène à la raison. Si je puis dire. Il paraît que je suis comme un aimant, que je capte toutes ces énergies, mais qu'une fois captées je ne sais pas quoi en faire, comment m'en servir, comment m'en débarrasser, alors je suis dans la merde et je ne trouve rien de mieux à faire que de trembler ! C'est vrai qu'on ne peut pas penser à tout. Francisco ajoute qu'au lieu de secouer, je ferais mieux d'utiliser toutes ces énergies pour travailler sur moi. Alors là c'est pas juste ! Parce que c'est justement grâce à MA technique de la centrifugeuse que tous les petits démons ont été éjectés de mon ventre. N'est-il pas ? Alors monsieur Francisco serait bien aimable de bien vouloir reconnaître en moi ce génie ès débouchages qui a fait mon nettoyage. Non mais !

Il a vu mon arcane aussi. Ce truc que chacun

« a » autour de lui et qui le protège. Ah ? ? ? Oui, il m'a vue au centre d'un cercle. Ce cercle est le corps d'un serpent dont la peau est en cristal. Quatre couleurs de cristal. Très brillantes. Très puissantes. Invincibles ! Rouge, jaune, bleu et vert. La tête du serpent est un diamant. Sous le cercle se trouve une femme. Qui veille...

Choc. Je n'entends plus. Je suis émue. C'est toi qui es là ? Qui me protège...

Je le savais. Je savais que rien ne pourrait jamais nous séparer. Même Francisco l'a vu. Lui qui ne connaissait pas notre histoire, lui à qui je n'ai jamais parlé de toi. Il a dit qu'il allait peindre mon arcane, si beau, si puissant. Il va te peindre...

Jeudi 2 novembre

Extérieur : Jour. Hutte-cantine.

Francisco me fait sentir un parfum composé à partir des fleurs de l'ajosacha. Je hume. C'est vraiment très subtil. Je ne sens presque rien ! C'est pour ça que ce parfum est destiné aux vierges, me dit Francisco. Ah bon ? Il continue. La fleur d'ajosacha est violette. La couleur symbolique des vierges aussi. Tout ça pour dire que chaque parfum, en fonction de l'odeur et de la couleur de la fleur dont il est tiré, a pour rôle de purifier l'un des sept niveaux de l'univers. Si tous les parfums ont pour rôle de purifier l'univers, l'encens, lui, doit purifier la matière, le corps. On utilise alors l'encens tiré de la résine de copaïba, de copal, de lacrecristalline, de palo de rosa et de perfume-caspi.

Une banane cuite au feu de bois arrive pour le petit déjeuner. Dans sa peau. Que j'ouvre. Vapeur odorante. Si je pouvais m'en parfumer.

Extérieur : Hutte de cérémonie.

Nous allons faire une cérémonie appelée *Sao-medio*. Elle est destinée à purifier le corps, pour accéder au monde des esprits et entrer en contact avec les morts. Nous sommes le 2 novembre. Hier, aujourd'hui et demain sont fête des morts. Bon. Bettina, Janet, Francisco et moi sommes réunis dans la hutte de cérémonie.

Francisco mélange des morceaux de résine de copal et de lacrecristalline dans un pot en terre. Nous humons. Odeur profonde de résine. Un peu le pin, un peu le santal. Il met le feu à tout ça, nous parfume avec son parfum des forêts et nous demande de nous exposer à la fumée du mélange.

Fumée très noire. De résine. Qui crépite. Le pot est par terre. Nous devons passer au-dessus, mettre nos visages, dos, bras, jambes, dans la fumée. Nous plongeons. Odeur âcre. J'évite de respirer.

Debout autour du pot nous devons nous prendre par les épaules. Comme dans une mêlée. Francisco pousse un cri sourd. Profond. Nous avec lui. Beau souffle. La fumée arrive sur nos visages, réunis au sommet du pot. C'est chaud. Arrêt de la mêlée. Nous relevons les têtes. Éclats de rire. Fou rire. Nos figures et nos cheveux sont tout noirs de fumée.

Après ça nous soufflons sur le feu. Chacun à son tour. C'est Bettina qui arrive à l'éteindre. Elle devient la marraine de cette cérémonie destinée aux morts.

Francisco nous dit que nous risquons d'avoir des rêves étranges cette nuit, de rêver par exemple à des personnes disparues. Moi je ne fais plus de rêves depuis que je dois en faire. Si au moins tu apparaissais dans mes rêves...

Vendredi 3 novembre

Extérieur : Jour. À la recherche de la fabrique d'alcool.
Intérieur (de moi) : Même pas le droit d'en boire.

Nous marchons dans la jungle depuis environ une heure. Pour trouver une fabrique d'aguardiente, l'alcool de canne à sucre. Francisco n'a rien trouvé de mieux que cette « promenade » pour me faire découvrir la jungle et ses mystères.

Moi j'ai pas envie de marcher. En plus j'ai le matériel de la BBC sur les oreilles et devant la bouche. D'un pratique. Plus qu'une main disponible pour claquer les moustiques. Et puis je glisse sur un tronc d'arbre qui fait un pont entre deux rives de boue. Parce que j'enregistrais mon bla-bla en même temps que je marchais sur le tronc. La chute est enregistrée. Un gros mot et un plouf mat. Chaussures pleines de boue. Avec un affreux bruit de succion qui accompagne chaque pas. Je bouge mes orteils pour découvrir l'ampleur des dégâts. Mes chaussettes sont mouillées aussi. La mauvaise humeur me terrasse...

Francisco, lui, passe les obstacles avec brio. Tout en continuant les présentations. Me voilà devant un immense tangarana. Au moins quarante mètres de haut sur deux de diamètre, dans lequel vivent des colonies de fourmis. Dès que quelqu'un touche l'arbre, elles attaquent. Les milliers de morsures sont mortelles. C'est comme ça que la tribu des Yaguas punissait ses membres. En les attachant à cet arbre. Si, après une journée, ils étaient toujours vivants, ils étaient pardonnés. Ils étaient rarement pardonnés...

Nous traversons deux clairières cultivées. Essentiellement des bananes et du manioc. Les fermiers vivent de la vente de ces cultures et de quelques poulets qu'ils élèvent. En plein air ! Ils vivent isolés dans la jungle, avec leur famille regroupée dans deux ou trois huttes. Les enfants sont trop éloignés des villes pour aller à l'école.

Sur le chemin, nous trouvons un arbre dont

nous goûtons les fruits. C'est un goyaba. Il faut trouver un long bâton pour arriver à atteindre les fruits, des sortes de haricots d'un mètre de long sur quatre centimètres de large. Vert marron. L'intérieur est une chair blanche pelucheuse qui entoure de grosses graines noires luisantes. La chair blanche est pleine d'eau. C'est désaltérant. Pas beaucoup sucré. Avec un très léger goût de fleur d'oranger.

Après une heure de marche, des chiens viennent à notre rencontre. Squelettiques. Ils nous reniflent. Gentils. Ça va. Nous sommes arrivés. En guise de fabrique, je découvre une grande hutte avec un toit de feuilles. Pas de plancher. De la terre. Pas de murs non plus. Au centre de la hutte trône le pressoir. Gros établi de bois avec deux énormes vis, entre lesquelles on positionne la canne pour la broyer. Le jus en sort. Jaune très clair. Il coule dans un fût en plastique. Odeur douce. Sucrée.

Un grand levier horizontal actionne le mouvement des deux grosses vis. C'est un tronc de sept à huit mètres de long, dont une extrémité est accrochée à un cheval squelettique. Marron. Avec des œillères. Qui tourne autour du pressoir. Sillon circulaire dans le sol. Qu'il a creusé d'une vie de pas. Un homme le suit avec un bâton pour le faire avancer.

Le reste de la famille regarde. Tous assis autour d'une petite table en bois. Deux hommes, une femme, d'une quarantaine d'années, un jeune homme et un petit garçon. Casquettes de base-ball sur la tête. Poules et coq surveillent tout ça en discutant.

Une fois le jus recueilli, il est mis à fermenter pendant trois jours dans des fûts. Nous regardons le liquide beige-vert à l'intérieur. Ça fait de grosses bulles de fermentation. Après ces trois jours, le liquide est versé dans un autre fût, sous lequel un feu de bois est allumé. Les vapeurs du liquide en ébullition passent dans une « serpentine », un petit tuyau de cuivre en forme de spirale, qui est plongé dans un bac d'eau froide pour que la vapeur qui passe à l'intérieur se condense. C'est l'alcool, qui tombe à la sortie du serpentin dans un jerrican en plastique bleu. Cinquante-cinq degrés ! Je voudrais goûter. Personne ne regarde ? Geste éclair. Doigt dans le liquide qui coule. Petite gargoulette d'alcool pur. Ça fait un joli bruit de fontaine. Et hop, dans la bouche le gros doigt plein d'alcool. C'est très fruité.

Un litre de cette aguardiente sera vendu environ un sol le litre, soit deux francs cinquante. Alors qu'une assiette de nourriture revient à six francs. L'alcoolisme est un problème majeur de ces régions. Sans compter que des particules de cuivre, détachées du serpentin dans lequel la vapeur se condense, passent dans la boisson et provoquent chez les consommateurs des intoxications au cuivre. Mortelles en cas de consommation intensive.

Retour à Sachamama. Fait très chaud. Encore ayahuasca ce soir. La fréquence des cérémonies est normalement de deux fois par semaine. En fait, le chaman adapte cette fréquence aux réactions de son élève. Il adapte aussi la dose d'ayahuasca. Ce soir, étant donné ma dernière très forte réaction à la dose qu'il m'avait donnée, je n'aurai droit qu'à une « infime » dose. Tant mieux.

Je retourne à ma hutte. Bain, boue, bronzage. Les trois B du bonheur. Mon copain le serpent est toujours dans le petit ruisseau. Je le surveille. En vraie caïd de la jungle.

Surprise. Bettina vient me rendre une petite visite. Nous fumons ensemble, en buvant de la tisane de clabohuasca. Il ne manque que les petits fours. Nous parlons de ce que nous vivons. Pas du passé. Pas du futur. Juste des émotions et du silence. Joli moment.

Je passe le reste de l'après-midi à enregistrer, à penser, à chanter devant mon arbre, à écrire et à chaque fois que j'ai fini d'écrire, à faire « pomme-S » avec le pouce et l'index de ma main gauche. Petit geste de sauvegarde. Réflexe informatique. Répété des milliers de fois sur deux touches d'un clavier. Ça me fait rire. Difficile de s'en débarrasser.

Vingt heures trente. Je vais retrouver les chants de Ruperto. Heureuse de plonger dans cet espace où les sons forment des vagues colorées que je vois pénétrer en moi comme une force nourricière. Je vais y puiser la force dont j'ai encore besoin pour accepter la vie.

Extérieur : Hutte de cérémonie. 20 h 30.
Intérieur (de moi) : Et maintenant ?

Prête pour la cinquième séance. Janet est nominée aussi. Mais inquiète. Elle a vécu de vrais enfers les deux dernières fois. Je bois. Elle boit. Nous attendons. Les effets arrivent très vite.

Janet commence à vomir. Mais elle semble moins malade. Moi j'attends. Pas mal au cœur. Je commence à penser que rien ne va se passer. J'attends toujours. Je m'allonge sur le banc. Janet est vraiment moins malade.

Je n'ai pas mal au cœur, pas de visions non plus. Rien. Je m'imprègne des chants de Ruperto. Il chante la sérénité. Je ne la vois pas, cette fois. Je la ressens. Très fort. Comme des vagues d'énergie qui me remplissent.

Séance terminée à vingt-trois heures trente. Je dis à Francisco que je n'ai pas vu de feu d'artifice. « C'est parce que tu es clean, dit-il. L'ayahuasca a fait son travail. Tu n'as plus besoin d'en prendre. » C'est donc ce que je ressentais.

Je vais me coucher et je m'endors très vite. Mais dans la nuit je me réveille. J'ai entendu des voix. J'ouvre les yeux. Il fait nuit. Silence vocal. Alors c'était dans mon rêve ? J'avais pourtant bien l'impression que c'était là, tout près de moi. Les esprits ? Arrête, tu vas te faire peur. Réflexion. Demain en tout cas je vais pratiquer le chant devant mes plantes. Intensivement. On dirait que quelque chose se débloque...

Samedi 4 novembre

Extérieur : Jour. Hutte-cantine. 8 h 30.

Bettina, Janet, Francisco et moi sommes réunis pour le riz-tomate-concombre du matin. Janet rayonne. Bizarre. Échange de regards entre Bettina et moi. C'est évident. Quelque chose a changé dans son visage, son comportement. Je ne sais pas comment dire mais pour une fois on a l'impression qu'elle est « là ».

Elle commence alors à parler. Elle remercie tout le monde. Et raconte que hier soir quelque chose s'est passé. Quelque chose qu'elle a attendu toute sa vie...

Lorsqu'elle a bu l'ayahuasca, Janet a ressenti une chaleur se diffuser dans tout son corps et se concentrer dans ses bras. Elle avait la sensation que cette chaleur guérissait ses bras. Ses bras qui depuis son viol, à l'âge de neuf ans, étaient restés inertes, bloqués le long de son corps, jusqu'à l'âge de dix-neuf ans. Personne alors n'avait pu la toucher, elle n'avait pu toucher personne.

— J'ai passé toute ma vie à essayer de rétablir ce contact avec le monde, avec les autres. Mais toute ma vie j'ai eu l'impression d'être prisonnière de mon corps, de vivre à l'intérieur de lui. Sans contact avec l'extérieur. Et hier soir, j'ai enfin ressenti que quelque chose se passait entre ce monde et moi, que quelque chose circulait de nouveau. Hier soir, j'ai retrouvé le contact. L'ayahuasca m'a guérie. Et au moment exact où j'ai eu cette sensation, Francisco m'a pris la main. J'ai accepté cette main. Pour la première fois, je n'ai pas eu peur. Pour la première fois, j'ai eu envie de garder cette main dans la mienne...

Son sourire nous dit ce qu'elle ressent. Émotion d'une dame qui nous fait pleurer.

Extérieur : Maison de José Coral.
Intérieur (de moi) : Sous-marin.

José Coral habite dans une maison. Une vraie maison avec des murs en planches et un toit et des portes. Près d'Iquitos. Nous arrivons par une petite allée bordée de plantes que je ne connais pas. Sauf la chacruna. Ça s'appelle *huayramama* ici, la Mère de l'eau. La maison est au milieu de cette « mère » botanique. Étendue de plantes qui parlent. La porte du monde des esprits. Je pense au thym. Je pense au basilic. Faudrait les diéter pour savoir ce qu'ils ont à dire.

José vient à notre rencontre. Svelte. Casquette de base-ball et tee-shirt bleus. Pantalon de toile beige. Large. Il a quatre-vingt-quinze ans !

Bizarre contact. Peut-être à cause de ce regard et de ce nez d'aigle dans un visage androgyne. Doux. Dans lequel la lumière n'a tatoué qu'une ride verticale. Entre les deux yeux. Peut-être parce que ce regard ne voit pas l'apparence. Il vous rend transparent...

Nous arrivons sur une petite terrasse, devant la maison. Deux hamacs en toile rose pâle, à droite et à gauche de la terrasse. José nous invite à nous asseoir. Je me pose sur le bord du hamac de droite. Francisco et lui s'assoient sur un banc devant le mur de la maison.

Don José Coral est un puissant chaman. Un chaman en contact avec le monde des esprits sous-marins. Et qui parle leur langage ! Il va nous parler ce langage, nous raconter ce qu'il voit là-bas. L'hystérie de la groupie me submerge...

Micro en place. Top départ. Don José commence à prononcer les mots des esprits sous-marins. Don José est là-bas. Il parle avec l'esprit de sa femme, morte. Devenue un esprit sous-marin. Un anaconda. Une sirène. Elle lui dit qu'il a encore cinq ans à vivre. Don José rit. Il s'en fiche. La vie. La mort. Deux étapes d'un chemin dont la destination est l'instant. Celui qui se trouve entre deux pensées ? Francisco me fait signe de me taire. Don José ne répond pas. Don José est en voyage. Il a trouvé le passage.

Extérieur : Jour. Sachamama.
Intérieur (de moi) : Cherche le passage.

Retour à Sachamama. Avec l'empreinte de Don José dans les yeux. Et riz-chou-fleur-banane dans mon ventre. La vie continue.

Bain-boue-bronzage. Ma peau est devenue hyper-douce. Je me sens vraiment légère. Au sens propre comme au figuré. Plus peur du tout. J'ai l'impression d'être entrée dans ce monde. Comme si le fait de ressentir son invisible, de mieux le connaître, faisait que j'en avais moins peur. Un contact s'est établi. Même si les plantes ne veulent toujours pas me parler...

Nos allons préparer la troisième plante que je dois diéter, la *sacharunacaspi*. Cette plante doit m'enseigner les « bruits ». C'est-à-dire comment percevoir et déchiffrer les messages des esprits au travers des bruits.

Nous repartons en exploration. Francisco en tête. Il finit par s'arrêter devant une plante d'environ un mètre de haut. Avec de longues feuilles vert foncé, qui partent d'une tige principale. Trente centimètres de long pour dix de large. Les nouvelles feuilles sont à la base de la tige. C'est très curieux parce qu'elles n'ont pas du tout la même forme que les autres. Vert clair, petites. On dirait des feuilles d'acacia qu'on aurait greffées à la tige principale. Ces petites feuilles n'ont pas non plus les mêmes nervures que les autres.

Francisco me demande de couper la tige à sa base et d'aller la planter dans la terre. Elle repoussera ! Je dois maintenant arracher la racine de la plante dont j'ai coupé la tige. Difficile. Il faut tirer très fort. Je tire à deux mains. Ça finit par venir, en me faisant perdre l'équilibre. Pauvre idiote. J'essuie mon postérieur tout terreux. Francisco sourit. Moi aussi. Plus qu'à aller rincer les racines dans l'eau de la rivière. Elles sont la base de notre mixture.

Nous arrivons à la hutte-cantine. Je gratte l'écorce des racines avec un couteau et je mets les copeaux dans une tasse avec de l'eau. Voilà. Comme les autres. À macérer toute la nuit. Francisco me l'apportera demain matin à cinq heures. Je sens que je vais encore être privée de petit déjeuner. On s'y fait.

La sacharunacaspi est un très bon purgatif. Et une potion qui calme les rhumatismes, l'arthrite, les douleurs musculaires. Pour ça il faut faire macérer l'écorce dans de l'aguardiente. Moi j'aimerais bien en boire.

Dimanche 5 novembre

Extérieur : Jour. Le pays des purs.
Intérieur (de moi) : Espèce protégée.

Réveil à cinq heures du mat. Francisco apporte la potion de sacharunacaspi. C'est super-amer. Toujours mieux que l'ayahuasca en tout cas. Comme prévu, je ne dois voir personne, ni manger jusqu'à midi. J'enregistre. Un vrai travail. Je crois que je fais des progrès. Je découvre un véritable plaisir à raconter tous ces sons. Comme si petit à petit la peur de ne pas être à la hauteur, la peur d'être jugée avait disparu pour laisser la place à l'envie et au plaisir de faire. C'est finalement cette peur du jugement qui au début de mon voyage m'empêchait de parler dans ce micro. Pourquoi ne l'ai-je plus ? Peut-être l'ai-je vomie. Vomi la peur d'être moi-même.

Ou alors c'est la joie d'avoir osé te suivre. Dans cet espace qu'on appelle la mort, juste un peu plus loin que la vie et qui jusqu'alors me terrifiait. Tu m'y as emmenée, tu me l'as fait toucher, j'y ai caressé ta lumière. Et tu m'as offert la vie. En me faisant comprendre que ne plus avoir peur de la mort, c'était enfin oser vivre...

Alors je raconte au micro. Le plaisir de partager ce que je vis, l'amour des sons qui chantent cet univers. Tout simple. Et j'évite mon nombril. Je viens de réaliser que je n'avais plus mal à l'estomac.

J'ai faim. Un groupe de cinq médecins doit arriver aujourd'hui. Américains. De Californie. Ils viennent passer deux jours pour se faire une idée du chamanisme. Ils veulent également participer à une cérémonie d'ayahuasca pour en étudier les effets. Francisco me rappelle que je n'ai pas le droit de les voir jusqu'à midi, à cause de mon entrée en contact avec l'esprit de la sacharuna-caspi, mais qu'après, si je veux les voir, il ne faudra pas que je les touche ! Loi de la diète. J'ai l'impression de faire partie d'une espèce protégée. Suis-je en voie d'extinction ? En tout cas ça fait bizarre de faire partie des « purs ».

De toute façon je n'ai pas envie de les voir. Je

reste dans ma hutte jusqu'au soir. Sieste dans mon hamac, chant à mes arbres, faim, fumage de pipe pour calmer la faim, écriture, pensées profondes. La belle vie d'une petite hutte dans la forêt.

Dix-huit heures. On vient me chercher pour dîner. Je me sens « livrée » aux étrangers. Rizbanane. Je gloutonne. Ils ont la gentillesse d'attendre que j'aie fini pour commencer à me poser des questions. Je ne sais pas quoi leur dire, moi ! Ils me regardent comme si j'étais une bête curieuse. C'est vrai que je ne me suis pas regardée dans un miroir depuis presque un mois. Mes copines de camp ne m'ont pourtant rien signalé. Ou alors c'est la « pureté » qui commence à faire des cloques sur ma figure.

Pour l'instant, je tente de leur expliquer un peu ce que j'ai appris, ce que je vis. C'est vrai que je me sens décalée. Comment leur dire que maintenant je parle aux plantes mais qu'elles ne veulent pas me parler ? Comment dire que je me suis transformée en sauterelle, que je me suis transformée en liquide, que j'ai rencontré l'esprit du chullashakicaspi, que c'est un jeune homme ? Je me tais. Ils n'ont qu'à essayer. Voilà.

Extérieur : Nuit. De rêve.
Intérieur (de moi) :...

Je vais me coucher. J'allume une bougie. Puis je l'éteins. Pour pouvoir regarder la nuit. En face. Pour pouvoir t'écouter. C'est cette nuit que ça va arriver.

Il est devant moi. Le jeune homme frisé. Celui que j'ai vu pendant la vision. L'esprit du chullashakicaspi. Il est là, devant son arbre. L'arbre aux tentacules de pieuvre. Je le reconnais. Il sourit. Il va me parler. Il me parle ! « Cueille une feuille de cet arbre et mets-la contre ton oreille. » Je le fais. La feuille craque sous mes doigts. Je l'approche de mon oreille et là...

Une voix qui chante dans mon oreille. Une mélodie. Et un son diphonique. J'écoute. J'aspire la musique qui irrigue ma vie. Énergie-lumière, je te sens rayonner. Je le sais. Tu es mon icaro. Tu es le cadeau du jeune homme. L'esprit de l'arbre. Je le sais. Il me donne le chant que j'étais venue chercher, celui qui éteint les brûlures... J'écoute. Encore et encore. Je ne dois pas oublier. Chanter toujours. Ne pas oublier. Me réveiller. Enregistrer. Micro en place. J'appuie. Sur le bouton. Je chante. Ça va. Je chante. Petit courant d'air dans la jungle. Je pleure...

Mercredi 8 novembre

Extérieur : Jour. Hutte-cantine. 8 heures.
Intérieur (de moi) : Harmonique.

Debout sur ma scène. Je n'ai pas arrêté de chanter. Mais j'ai arrêté de pleurer. Je n'entends plus la vie autour de moi. Comment dire ? Comme si j'étais à l'intérieur de moi. Besoin de ressentir ce que je chante dans toutes les parties de mon corps. Je m'amuse à faire résonner le son dans mon ventre, dans ma tête, dans ma poitrine. C'est bon. Pommade calmante. Comme le chant de Ruperto. Mais en plus fort. Comme un besoin de se gratter. Et je gratte, et je gratte et je chante. Cigale.

Une question se pose : pourquoi ce son diphonique après la mélodie ? Le chant diphonique est originaire de Mongolie, pas d'Amazonie. C'est un chant de gorge qui consiste en l'émission simultanée de deux sons. Il est considéré dans cette région comme un chant sacré, comme l'expression divine de la voix humaine. Mais pourquoi un esprit d'Amazonie me transmettrait-il un tel son ? Qu'est-ce que ça veut dire ? Huit heures vingt. C'est l'heure du petit déjeuner. J'ai faim. Très faim.

Descente de scène. Je prends le chemin de la cantine. Je passe au milieu des arbres, comme au milieu d'une foule vivante. Je les touche en passant. Je ris. Je leur chante mon icaro. Je les vois sourire. Vrai ! Je pose la paume de ma main contre leur écorce. Ça chatouille. Je les entends vivre. Et me dire que je suis de retour dans la vie...

Arrivée à la hutte-cantine. Non triomphale. Je réalise qu'il n'y a aucune fierté en moi. Ce n'est pas cet ego qui a été nourri. Je n'ai même pas envie d'en parler. On ne dit pas : « Je vis. » Francisco est là. Tout se passe par les yeux. Il sourit. Je sais qu'il sait maintenant. C'est tout. Je vais me verser une tasse de clabohuasca. Silence. Puis une phrase s'envole de sa bouche. Juste une : « Les plantes t'ont acceptée comme apprentie chamane. » Silence. Silence imprégné de respect pour toi, Francisco.

Carmen apporte une assiette de riz-carottes-betteraves. Janet et Bettina arrivent. Je suis contente de les voir. Mes sœurs de camp. En tant que psychiatre, Bettina est en « tournée » sabbatique d'un an pour étudier les effets des plantes hallucinogènes sur le psychisme. Partie depuis six mois, elle nous dit avoir déjà englouti champignons, cactus, lianes et autres principes hallucinogènes avec la persévérance méticuleuse de la scientifique au travail. Un premier résultat d'analyse lui permet de dire que si l'ayahuasca est certainement la drogue la plus difficile à supporter physiquement, elle est aussi celle qui lui semble avoir le plus d'effet sur le psychisme. Elle aussi a ressenti qu'elle vomissait des émotions enfouies...

Petit déjeuner tous les quatre. Léger. Joyeux. Au milieu de la jungle. Il y a des moments comme ça. Où tout est harmonieux. Francisco nous dit que les femmes sont très perceptives. Elles apprennent très vite. Il dit qu'il a beaucoup appris en nous apprenant.

Nous parlons des goûts. Du goût des légumes d'ici, qui sont très bons et du goût du Mariri ! Il paraît que le Mariri donné par l'ajosacha a un goût d'ail. Que celui donné par le chullashakicaspi a un goût d'eau. Je ne me sens pas du tout prête à goûter un Mariri.

Extérieur : Jour. Hutte de cérémonie. 14 heures.
Intérieur (de moi) : Thankful.

Janet, Bettina et moi sommes assises. Francisco chante. Il va nous donner des arcanes de protection. Vingt et un en tout, chargés de nous protéger. Sept dans chacun des trois niveaux : Air, Terre et Eau.

Chacune à son tour, il nous fait asseoir sur le tabouret aux pieds en forme de cep de vigne. Ses racines plongent dans la terre. Francisco trempe sa shacapa dans le parfum. En battant le rythme d'un icaro que je découvre, il approche la shacapa de nos têtes, de notre poitrine, de notre dos. Puis il met du parfum dans nos mains. Nous nous frottons le visage. Inspiration. Jusqu'à saturation.

Francisco nous dit que maintenant les esprits nous ont fait don de nos arcanes et que demain, dans l'autre vie, il faudra faire appel à ces arcanes, les visualiser, mais ne jamais révéler lesquels ils sont...

Le lien se crée. Secret. Avec le monde des esprits.

Jeudi 9 novembre

Extérieur : Ma hutte adorée.
Intérieur (de moi) : Dernier acte.

Mon hamac. Six heures du mat. Je balance entre terre et arbres. Immergée dans ces derniers instants je chante l'icaro. Je m'en vais tout à l'heure. Je prends l'avion à Iquitos. Pour Lima. Une nuit à Lima et retour à Paris. Je me demande comment ça va faire de retrouver la vie. Du côté des convalescents.

Comment aurais-je pu imaginer ce que j'allais vivre ? Au-delà des mots, j'ai appris à percevoir. J'ai appris qu'une certaine connaissance ne pouvait pas s'atteindre par la pensée. Qu'il fallait l'écouter avec les sens. S'y glisser par la perception.

Intuitions. Sensations. Petites touches de ce monde des esprits qui envoie des messages. Comme de tout petits ponts tendus entre lui et nous. Qui peut les traverser ? Celui qui pense ? Celui qui perçoit ? Peut-être les deux. Il faut les unir. Les équilibrer. Les développer. Celui qui pense ET celui qui perçoit.

Alors diète. Isolement. Discipline. Juste pour savoir où est l'illusion quand on voit un reflet de vie sur un lac transparent.

Sept heures du mat. Je dois « rompre » la diète. Francisco arrive avec une tasse et une cuillère à soupe. La mixture qu'il a préparée n'est autre que du citron, mélangé à du sel et à de l'ail ! Beuuuuuurk. Suis-je vraiment obligée de boire ça ? Regard sans compromission. Bon. Brave. J'avale. L'équivalent d'une cuillère à soupe. Ça ira ? Ouf.

Dans sa main gauche Francisco tient un rouleau d'écorce. Noir. Une peinture vraisemblablement. Il me tend le rouleau. « C'est pour toi, c'est ton arcane. » Je le regarde. Émue. Très émue. « Mais tu ne dois pas l'ouvrir ici. Attends d'être à Paris. C'est là que tu en auras besoin. Je sais que les plantes t'ont parlé. Elles t'ont acceptée. Mais tu dois les écouter encore. Sache que celles que tu as diétées sont en toi pour toujours. Si tu es bien à l'écoute d'elles, tu vas réaliser qu'elles continuent de pousser en toi. Ta perception des choses va évoluer... »

Il me dit de le rejoindre à la hutte-cantine à dix heures. Heure du départ. Il me laisse terminer ce que j'ai à faire. Il sait. Il sait ce qu'il me reste à faire.

Mon sac à dos est vite rempli. Je voudrais bien regarder mon arcane. Attendre. Tous mes vêtements ont la couleur boueuse du cours d'eau. Je choisis la tenue beige brousse. Avec des manches longues parce que dans l'avion il fait toujours froid. Et à Paris n'en parlons pas. Regard vérificateur. C'est tout froissé. Couleur douteuse. Je déteste.

J'emporte du sirop de huito, de l'huile de copaïba et un peu de parfum de Francisco. Juste pour l'avoir. Là-bas. Et replonger dans cet univers en une inspiration...

C'est prêt. Je mets le sac à dos sur mon dos. En pensant à cette première immersion dans la dimension verte. Il y a si longtemps...

Je n'ai plus qu'un dernier truc à faire. Dire au revoir à tous mes amis. Dans tous les mondes. Je descends les trois marches d'une scène. Petit carré magique sur lequel il suffit de monter pour disparaître dans l'invisible. Au revoir la hutte. C'est le moment d'un petit détour dans la jungle pour retrouver mes plantes. Un son à leur dire. Elles me regardent. Rituel silencieux.

Extérieur : Jour. Iquitos. 15 heures.
Intérieur (de moi) : Bête sauvage en liberté.

Ça fait vraiment un drôle d'effet de retrouver le bruit. J'ai un peu les yeux qui tournent. Mais j'aime ça ! Encore plus qu'avant, je crois. Avion à vingt heures pour moi. Francisco m'a proposé de visiter Bélèn, un quartier d'Iquitos. Une sorte de bidonville flottant, le long du fleuve.

Bettina est avec nous. Il pleut des cordes. Il paraît que ça annonce la fin de la saison sèche. Nous attendons sagement que ça passe. Pas plus d'un quart d'heure. Mais dans quelques semaines ça ne s'arrêtera plus. Je voudrais bien regarder mon arcane.

Nous arrivons près du fleuve. Les maisons en pierre se transforment en maisons de bois, puis en taudis. C'est le seul quartier de la ville dans lequel aucun permis de construire n'est demandé. Tout le monde a le droit d'y installer trois planches en guise de maison. Et d'y subir la loi du plus fort.

Rien ne flotte aujourd'hui parce que c'est

encore la saison sèche. Alors l'eau du fleuve est basse et les maisons sont posées sur la terre. Elles sont comme des radeaux. Des rondins de bois sont attachés tout autour et, quand la saison humide arrive, quand l'eau du fleuve monte, les maisons se mettent à flotter ! On se déplace alors en pirogue. Certaines pirogues sont même des cuisines flottantes qui se déplacent de maison en maison pour proposer des platées de riz.

Les maisons qui ne peuvent pas flotter sont construites sur deux étages. Les habitants occupent le rez-de-chaussée pendant la saison sèche et migrent au premier étage dès que le fleuve monte et que l'eau envahit le rez-de-chaussée.

Les rues sont en terre, étroites, boueuses, avec d'énormes ornières et pas de tout-à-l'égout. Ce qui donne parfois à mon nez le regret d'exister. Mais il y a aussi plein de délicieuses odeurs d'épices, provenant d'étals en bois recouverts de produits locaux saturés de couleurs. Rouge, orange et bleu.

Éclair olfactif. Des effluves de tabac me font voir les mapatchos. Des milliers de mapatchos. C'est ici qu'on trouve les moins chers de la ville. Le tabac est sous forme de gros boudins compressés, de cinquante centimètres de long sur dix de diamètre. Il est coupé en tranches d'environ un centimètre d'épaisseur, puis roulé dans ce papier blanc, épais.

Nous découvrons aussi de l'huile de copaïba. Mais Francisco dit de ne pas en acheter, parce que en général elle n'est pas pure. Pour une meilleure rentabilité, elle est souvent mélangée à d'autres huiles, quelquefois impropres à la consommation...

Les rues sont à « thème ». Nous passons dans la rue des légumes, la rue des épices, la rue des plantes médicinales. Je trouve de l'huile de boa, vendue comme huile de massage pour calmer les douleurs articulaires, de l'huile de tortue, pour la beauté de la peau, de l'huile d'iguane, pour les démangeaisons, des tas de racines, des cat's clow, des parfums... Tout ça qui pénètre mes narines hystériques. Nous goûtons une espèce de graine d'arbre, frite. C'est vrai que j'ai le droit de manger ! J'en oublie le nom de la graine... Ces grains sont croustillants, avec un léger goût de pignon. Un bonheur.

Beaucoup de pas plus loin, nous arrivons sur les hauteurs du quartier. Francisco pousse alors la porte d'une petite maison. En nous faisant signe de le suivre. C'est un restaurant ! Avec vue sur le fleuve et sur les maisons-radeaux. Dans quelques jours, tout ça va flotter.

Je réalise que je vais enfin avoir un premier vrai repas. Fini la diète ! Je salive. Francisco rigole. Que des plats inconnus au menu. Il me conseille le poisson. Attente très impatiente. Nous discutons. Les habitants de ce quartier vivent de la vente des produits locaux et de petits trafics. Les enfants qui vont à l'école sont rares. Des privilégiés. Ils portent un uniforme bleu marine. Qu'ils promènent fièrement sur les pirogues. Arrive un magnifique filet de dorado, avec du riz et des bananes frites. Je salive. Je goûte. Et je fais la grimace. Ce festin de roi est trop salé ! Envie de pleurer. Un mois de diète et j'ai perdu le goût du sel. C'est pas juste.

Francisco me demande si j'ai l'intention de revenir. Il ajoute que j'ai toutes les capacités pour devenir une grande chamane. Mais qu'il faut diéter encore beaucoup de plantes...

Je ne sais pas. Ou plutôt je sais que quelque chose s'est passé en moi. Mais je sais que je ne suis pas prête. Pas prête à passer ma vie isolée dans la jungle. Diète après diète. Trop d'ayahuasca à boire. Et puis il y a ce son diphonique. Celui que j'ai entendu dans le rêve. Qu'est-ce qu'une tradition de Mongolie venait faire là ? Il faut que je continue ma recherche. C'était peut-être un message. Je dois aller voir là-bas. Ou chez les Touvas, à la frontière entre Mongolie et Sibérie. Ils pratiquent aussi cette technique de chant. C'est en tout cas dans cette zone du monde que le mot « chaman » est né.

J'explique à Francisco que je ne sais pas encore dans quelle direction va ma vie. Que je dois suivre les pistes, les indices, qui m'ont été donnés. Que je dois chercher jusqu'à ce qu'une réponse arrive. C'est l'intuition que j'ai. C'est tout. Seule certitude. Il sourit.

Vendredi 10 novembre

Extérieur : Jour. Ciel.
Intérieur (de moi) : Joyeux.

Iquitos-Lima. Lima-Atlanta. Atlanta-Paris. Me voilà enfin dans le dernier avion. Celui pour Paris. J'ai remarqué que des tas de gens se retournaient sur mon passage. Et ça depuis mon départ. Faut dire qu'avec ma tenue de broussarde désaffectée je suis un peu « décalée », ou alors c'est mon visage de purifiée...

Voilà, je suis assise. Le couloir est à ma gauche. Je demande toujours un couloir. Je suis trop coincée près du hublot. Sur le siège à ma droite je vois apparaître une vieille dame toute menue, très élégante, bien coiffée. Non, ce n'est pas une vision. Elle parle. Elle a envie de discuter. Et moi aussi pour une fois. Et puis je suis légère et puis je suis contente de rentrer et puis je vais retrouver la vie et puis je vais l'aimer.

C'est la vieille dame qui commence la discussion. Du coin de mon œil de poule je la vois poser un regard sur moi, de haut en bas, suivi d'un très élégant : « Mais d'où venez-vous ? » Je me sens aussi froissée que mes vêtements. Mais j'explique. Version light. Et vous ?

Lisbeth habite Atlanta et se rend à Paris avec son mari pour voir des amis. Elle a un cancer de l'œsophage. Alors elle est un peu triste, pas à cause du cancer, « à quatre-vingts ans, dit-elle, elle peut bien mourir », mais parce qu'elle ne peut manger que liquide et qu'elle ne pourra pas partager tous les bons plats de France, que ses amis vont préparer. Elle a apporté toute sa nourriture d'Atlanta. Ses valises sont pleines de boîtes de protéines liquides. Pour dix jours ! Je lui explique que ce genre de nourriture existe en France ! Elle ne pensait pas qu'on puisse y trouver de tels produits...

Toi aussi tu mangeais ça. Et moi aussi. Pour t'accompagner.

Samedi 11 novembre

Extérieur : Jour. Paris.
Extérieur (de moi) : Moisi.

Il paraît que je sentais le moisi ! C'est pour ça que les gens se retournaient sur mon passage. Je me demande si les purs sentent toujours le moisi. Et si c'est à cette odeur qu'on les reconnaît...

Maintenant j'ai le droit de regarder mon arcane. Impossible de tenir une seconde de plus. Le rouleau d'écorce est là, dans mes mains. Je déroule. J'ouvre. Je découvre...

Le serpent, le cercle, le chullashakicaspi, l'ayahuasca, la terre et Toi. Toi dans la terre. Sous le cercle. Toi la terre. En moi. Entre deux pensées. C'est ça. Rendez-vous dans cet espace qui s'amuse. Là où on n'a plus mal de ce qui brûle encore. Je le sais maintenant. Cette brûlure, c'était ta lumière. C'est toi qui vis. Ta marque. Ta musique. Elle est joyeuse. Et moi aussi. Maintenant.

Je pose le rouleau. Il se referme. Première photo de toi dans cet ailleurs.

Pomme-S.

[illegible] le cercle [illegible] l'avi-
[illegible], la terre et Toi. Toi dans la [illegible]. Nous [illegible]
[illegible]. Toi la terre. Et nous [illegible] deux [illegible].
C'est [illegible] Rendez-vous [illegible]
[illegible] La [illegible] n'a plus [illegible] ce qui brûle
encore [illegible] maintenant. Cette [illegible]
la [illegible]. C'est toi qui [illegible] la musique. Ta
musique [illegible] est joyeuse. Et moi aussi [illegible]
[illegible]

Je [illegible]. Tu te refermes [illegible]
[illegible]

Pourquoi

Imprimé en France par CPI
en mai 2021
N° d'impression : 3043025

Pocket – 92 avenue de France, 75013 PARIS

Dépôt légal : janvier 2004
Suite du premier tirage : mai 2021
S12950/20